Colère et agressivité

Collection "Savoir pour réussir"

L'AUTEUR :

Après avoir longtemps goûté aux joies de la vie de mère au foyer, Betty Doty a vécu une crise importante dans son propre couple. Elle a souvent évoqué combien elle s'est alors sentie incomprise et à quel point elle était incapable de s'ouvrir à une meilleure compréhension de son mari. Elle a aussi connu les accès de colère aveugle, les débordements, les disputes et, surtout, les frustrations inévitables que provoquent les crises d'agressivité compulsive et stérile. C'est ainsi qu'elle s'est trouvée confrontée à la nécessité de changer son propre comportement, de prendre un nouveau virage, à la fois pour dépasser sa propre insatisfaction et sauver son ménage. Elle a alors repris ses études et passé son diplôme de psychologue-conseil.

Dirigeant aujourd'hui un cabinet de conseil familial privé à Redding (Californie), son terrain de prédilection est la colère et l'agressivité. A la lumière de sa propre expérience, de ses études et de ses nombreuses consultations quotidiennes, elle a perfectionné une méthode simple et globale pour aider ses patients à **comprendre leur colère et à la canaliser de façon constructive vers un dialogue fécond et libérateur.** Cette méthode a fini par fonder sa réputation, tant aux yeux de ses confrères qu'auprès de ses patients et au niveau des médias.

Titulaire d'une bourse du Département californien pour la santé, elle a mené à bien un projet dans le secteur de la santé mentale ; elle a réalisé des centaines de conférences, d'interventions et d'exposés-débats sur la colère, y compris lors de nombreuses émissions télévisées.

Elle est également l'auteur de plusieurs ouvrages à succès, dont :
– *Apprivoiser les sentiments négatifs : pour sortir du piège que nous tendent colère, rancune, agressivité...* (InterEditions, 1995).
– *The Anger Puzzle.*
– *Break the Anger Trap.*
– *Marriage Insurance.*

Betty Doty
(psychologue-conseil)

Colère et agressivité

Arrêter de crier pour mieux se faire entendre

Traduit de l'américain par Gilles Chertier
Edition française sous la direction d'Aline Apostolska

Editions Dangles

18, rue Lavoisier
45800 ST-JEAN-DE-BRAYE

TITRES ORIGINAUX AMÉRICAINS :

Getting Through to Others Without Anger
A clear way to avoid the most common human relations problem
et
100 Things we can do about Anger and Violence

Éditions originales américaines :

Getting Through to Others Without Anger :
© 1993 by Betty Doty.
Publié par The Bookery Publishing Company, Redding (Californie).

100 Things we can do about Anger and Violence :
© 1994 by Betty Doty.

Traduction française :
ISSN : 0337-8268
ISBN : 2-7033-0467-6

© Editions Dangles, St-Jean-de-Braye (France) – 1997

Préface

RAPPORTS de force, *méchants, gagnants* ou *perdants* ainsi que la triste saga de la colère lâchée sur un monde fragile… telles sont les cibles de Betty Doty. Pour elle, il n'est pas question de tergiverser ni de fermer les yeux sur la réalité. Plus que jamais, ses conseils nous sont précieux.

Dans ce livre, comme dans ses précédents, B. Doty s'efforce de nous faire mieux comprendre les raisons exactes de la discorde entre les êtres humains. Elle va même plus loin en jetant une passerelle afin de franchir les failles qui nous séparent de notre famille et de nos semblables. Enfin, elle nous enseigne comment ne pas accumuler davantage les attentes déçues, les griefs et les rancunes. Cette démarche, à la fois limpide et emplie de compassion, se révèle dès maintenant à la portée de tous.

La guérison – et cela ne surprendra sans doute aucun de ceux dont l'activité consiste à venir en aide aux autres – s'enclenche souvent simplement : il suffit qu'une seule personne apprenne à faire sentir à une autre qu'elle la comprend et l'accepte pleinement, profondément, telle qu'elle est. C'est là que se produisent les changements les plus profonds.

Délivré soi-même de tout sentiment d'autosatisfaction, on n'éprouve plus alors le besoin de blâmer les autres. Un vrai dialogue redevient possible. La recette ? **Se parler, tout simplement !**

Carol A. Fleming (docteur en philosophie),
San Francisco, Californie.

PREMIERE PARTIE

Déjouer le piège de la colère pour sortir de son isolement

1. Au cabinet de consultation

« J'ai tout essayé ! Rien ne marche ! Je suis au bout du rouleau ! Je ne sais plus à quel saint me vouer ! » J'entends ces mots presque tous les jours dans mon cabinet de conseil familial. Que faire ? Y a-t-il « quelque chose » à faire comprendre qui permette de renverser la vapeur ?

Si c'est ce que j'espère, cette méthode conviendra-t-elle à tous ceux qui viennent en consultation ?

L'expérience m'a enseigné que la réponse pourrait bien être oui. Je crois qu'il existe vraiment un moyen de répondre aux attentes de chacun. Mais avant tout, laissez-moi vous introduire dans mon cabinet de consultation, et jugez plutôt par vous-même.

Supposons que vous avez décidé de prendre rendez-vous pour parler d'un problème quelconque. Ainsi, nous pourrons voir si ce « quelque chose » vous convient. Arrêtez la lecture à la fin de ce premier paragraphe et imaginez ce que vous me diriez si vous étiez vraiment ici, avec moi.

Pour vous faciliter la tâche, supposons que la consultation doive durer trois quarts d'heure. Imaginez également que vous vous trouvez dans une pièce calme et confortable, éclairée par une vaste fenêtre donnant sur une végétation luxuriante.

Pendant que vous vous installerez, je prononcerai sans doute quelques mots, comme : « Dites-moi ce qui vous amène. »

Bien que la plupart des gens soient hésitants au début, lorsqu'ils se mettent à parler, c'est généralement pour une heure ou deux. Je suppose donc que vous ferez de même. C'est à dessein que je reste penchée sur mon bloc-notes, m'efforçant de ne pas manifester de réaction. Ce que je veux entendre, c'est ce que vous avez à dire, *vous,* sans être influencé par moi.

Au bout d'une heure environ, une fois que vous y verrez plus clair, je vous demanderai de me faire savoir quand vous serez disposé à entendre ma réponse. Au moment où vous vous déclarerez prêt, nous ferons sans doute une petite pause. Je ferai peut-être une plaisanterie facile sur mon droit à un temps de parole équivalent, puis nous nous accorderons quelques minutes de détente avant de poursuivre.

C'est ici que vous devez interrompre votre lecture pour l'instant. Maintenant, imaginez ce que vous auriez à me dire avant d'entendre ma réponse. Sachez que je ne vous couperai pas la parole ; alors, dites simplement ce que vous voulez me faire savoir. Vous pouvez également exposer votre problème par écrit et, pourquoi pas, imaginer ma réponse.

2. Quelques mots sur ma réponse

Si j'expose les mêmes principes à tous ceux qui viennent me voir, il n'en demeure pas moins que je mets l'accent sur des aspects différents, suivant chaque individualité. Tantôt j'emprunte des voies détournées, tantôt je vais au plus court. C'est surtout le cas quand une personne vient de parler sans interruption pendant trois heures. M'exprimant ici par écrit, vous aurez droit à la version longue… assortie de quelques suppléments.

La plupart du temps, je commence par montrer à mon consultant que j'ai bien compris son désespoir, sa conviction que quoi qu'il fasse ses efforts restent vains. Il arrive en effet que mes interlocuteurs tournent longuement autour du pot avant de l'exprimer clairement.

Mon point de vue est que la meilleure façon de résoudre un problème commence par une description aussi précise que possible des faits. J'en tirerai des suppositions dont découlera ma réponse. Celles-ci sont le fruit de milliers d'heures passées à écouter et, la plupart du temps, je fais à mon interlocuteur le récit de ce que j'ai appris. Tout en parlant, je rappelle régulièrement que la seule chose dont je sois absolument certaine, c'est de *mon* opinion personnelle : «Ce que *moi* je peux en dire… *Je* présume que… Il *me* semble que…»

Après avoir écouté longuement quelqu'un, ce qui me surprend généralement c'est le grand nombre de pièces du puzzle qu'il s'efforce de reconstituer. Toutefois, le classique «J'ai tout essayé!» révèle que la tâche est plus ardue qu'il le souhaiterait. Aussi, quand je dis qu'à mon avis il suffirait d'un petit ajustement, je constate généralement une réaction de surprise. De toute évidence, il est trop difficile de croire au premier abord qu'*il suffit de disposer les pièces autrement* – voire d'en ajouter une petite çà et là – pour que tout aille mieux très vite.

3. Garder la tête haute

De mon point de vue, lorsqu'on prétend «avoir tout essayé» on est, en fait, prisonnier d'un rapport de force. *Le piège se referme dès lors que l'on pense avoir des certitudes sur ce que les choses devraient être.* Mais prenons un peu de recul et voyons où cela nous conduit.

Peut-être nous trouvons-nous dans un monde où nous jouons les sables mouvants : non seulement nous donnons l'impression de pouvoir partir à tout moment dans n'importe quelle direction, mais il semble que c'est justement ce qui arrive. On regarde quelqu'un, puis ailleurs, et quand notre regard se pose à nouveau sur cette personne, on s'aperçoit qu'elle a changé.

Vivre dans un tel monde revient un peu à essayer de reconstituer un puzzle où chaque pièce changerait constamment de forme.

Maintenant, si l'on s'imagine marchant sur du sable mouvant, on se rend compte que l'essentiel est de garder l'équilibre. Non seulement cela demande une grande concentration et un sens aigu de l'observation des lois de la nature, mais il faut également « garder la tête haute ». Et c'est justement cela qui nous apporte le sentiment d'être en accord avec soi-même.

Mais comment savoir que l'on mérite de garder la tête haute si l'on est submergé par le doute ? Comment avoir conscience de sa propre valeur ? Comment se convaincre qu'en dépit de nos limitations évidentes on n'a pas à rougir de ce que l'on est ?

Selon mon point de vue, on s'efforce – consciemment ou non – de garder l'équilibre en se posant constamment d'innombrables questions telles que : « Est-ce que je dois poser le bras ici ? Me gratter le nez ? Me laver les mains ? Mettre un manteau ? Parler à mon patron ? Prendre un cachet ? Faire le tour du pâté de maisons en courant ? Manger un biscuit ? Jouer avec les chatons ? Appeler ma mère ? Penser à Untel ?... »

Au fond, tout cela revient à la même question fondamentale : que faire pour garder l'équilibre sur les sables mouvants, avec les moyens dont on dispose à cet instant précis ?

Tant que l'on n'est pas en mesure de répondre à cette question cruciale, on reste enfermé dans une vision selon laquelle tous nos acquis ne sont pas suffisants. Cela ne fait que renforcer notre détermination à faire encore plus d'efforts pour obtenir ce qui semble manquer.

4. Assécher les sables mouvants

L'expérience m'a enseigné que ce qui conduit généralement les gens à un cabinet de conseil familial, c'est le fait de définir les problèmes ainsi : on est persuadé qu'il est absolument impossible de se sentir bien dans sa peau – équilibré, la tête haute – tant que l'on n'a pas asséché les « sables mouvants ».

Dès que l'on en arrive à cette conclusion, on se retrouve en déséquilibre. On a beau se démener, prendre des repères, pousser, pelleter, retenir, rien n'y fait, le sable ne se laisse pas enlever. Redoubler d'efforts n'aide en rien non plus : on trébuche encore plus. Comme on a perdu l'équilibre, on risque d'abîmer tout ce que l'on touche en tombant. Au lieu d'obtenir le réconfort que l'on persiste à espérer, tout ce qu'on récolte c'est encore davantage de résistance et de représailles de la part des autres.

Au premier échec, on conclut généralement que l'on n'a sans doute pas fait assez d'effort... pas encore. Mais que se passe-t-il si l'on est absolument convaincu d'avoir tout essayé ? Quelle conclusion, si ce n'est que *les autres* ne se montrent pas assez coopératifs ? N'est-il pas évident qu'ils sont responsables de nos échecs ?

Les personnes qui viennent à mon cabinet passent généralement un temps considérable à essayer de comprendre ce qui ne va pas, tentant frénétiquement d'identifier des « méchants » pour savoir qui ou quoi « corriger ».

Peu importe ce que l'on croit être à l'origine de ses problèmes et les « rectifications » que l'on pourrait apporter, je demeure convaincue que chacun se rend compte tôt ou tard qu'il lui est impossible de faire entrer ces sables mouvants dans le cadre souhaité.

5. A l'aide !

Quel mal y a-t-il à lutter pour obtenir ce à quoi on estime avoir droit ? N'est-ce pas ce que tout le monde fait ?

Je parle des rapports de force dans lesquels on s'implique lorsque l'on se croit absolument obligé d'atteindre un but particulier. Si celui-ci prend trop d'importance, il ne fait aucun doute que tôt ou tard on essaiera de l'atteindre aux dépens d'autrui. Et, à chaque fois, on est voué à se blesser.

A mon avis, *ce que l'on tient tant à obtenir, c'est l'aide des autres.* On arrive à se convaincre que leur aide et leur coopération sont essentielles pour atteindre le but fixé : se sentir bien dans sa peau. L'assistance que l'on recherche peut être directe ; elle peut également consister à éviter que les autres n'interfèrent pas avec nos efforts pour retrouver l'équilibre. Mais c'est désespérément que l'on y aspire. Si on parvient à l'obtenir, il est probable qu'on interprétera cette victoire comme la preuve de l'intérêt que nous portent les autres. Alors on s'entête. Cependant, plus on s'obstine dans cette voie, plus on a tendance à trop en faire et à susciter par là même des réactions de résistance. Dans la confusion, on se dit alors avec tristesse que « si seulement ils y mettaient du leur, il ne serait pas nécessaire d'être aussi odieux avec eux » !

Dans le désarroi, et déçu de voir que les autres ne réagissent pas conformément à nos attentes, on finit par avoir une vision limitée des choses. A ce stade, tout se passe comme si tout ce qui importe ce sont les autres et leur satanée résistance. De là, il n'y a qu'un pas pour considérer celle-ci comme un mal qu'il convient de punir. Mais on a beau essayer, il est impossible de châtier suffisamment pour arriver au résultat escompté : une coopération librement consentie.

Dès lors que le sentiment de bien-être semble rester hors de portée, on se trouve coincé dans une série de rapports de force. Il ne semble y avoir aucune alternative à une lutte sans cesse renouvelée pour ce qui nous apparaît essentiel.

Arrêtons-nous un instant, et voyons ce que sont les rapports de force en général. Je pense que ce sont des pièges sans issue. Par définition, ils impliquent des *vainqueurs* et des *vaincus*. Et si on fait partie des seconds, la seule manière de tolérer la douleur consiste à préparer un « coup décisif » pour « prendre sa revanche ». On est convaincu qu'alors la lutte cessera, que les *méchants* seront « remis à leur place »… et que l'on sera vainqueur, une fois pour toutes !

Comme il est décourageant de se rendre compte que la violence de la réaction est à la mesure de celle du coup porté ! Pire encore, on dépense de plus en plus d'énergie pour mener des batailles décisives alors qu'on essuie des contre-attaques de plus en plus vigoureuses. Pendant ce temps, les vrais problèmes sont laissés de côté. Aucune solution n'y est apportée et ils se font de plus en plus menaçants.

Mais que faire ? Il est trop douloureux d'accepter de ne pouvoir obtenir ce qui semble si près. On se serait donc battu tout ce temps pour rien ?

6. Lutter ou abandonner

Pourquoi s'enfermer dans des rapports de force aussi futiles qu'essayer de fixer des sables mouvants ? Je pense que si on reste enfermé dans de telles situations – que ces rapports de force soient dirigés contre les autres ou contre soi-même – c'est uniquement parce qu'on n'imagine vraiment aucune alternative.

Ce qui nous bloque, selon moi, c'est que l'on est persuadé n'avoir que deux solutions possibles : lutter ou abandonner. «Je ne vais tout de même pas me laisser marcher sur les pieds... Plutôt mourir qu'abandonner !» A partir de là, on reste aveugle à ces deux autres possibilités :
– Et si ce dilemme venait de la façon dont on définit ses problèmes ? Autrement dit, qu'attendons-nous des sables mouvants ?
– Les échecs ne viennent-ils pas plutôt du fait que l'on essaie de réaliser l'impossible, comme remporter une victoire décisive ?

Voyons maintenant ce qui se passe si on s'enferre dans une attitude reposant sur la seule logique de la lutte ou de l'abandon.

7. Il n'y a pas de victoire décisive

Je pense que l'histoire vraie ci-après illustre bien le désespoir irrationnel découlant d'un rapport de force qui est allé trop loin :

Une collégienne se disputait avec le principal au sujet de la tenue vestimentaire réglementaire de l'établissement, le différend portant sur le bandeau qu'elle portait autour du front.

Comme on peut s'en douter, le ton montait à mesure que chacun prenait conscience qu'il ne l'emporterait pas de façon décisive.

Le principal : « Je ne peux pas céder. Je dois bien montrer à ces enfants qui commande ici, sinon je vais me laisser déborder. »

La collégienne : « Vous auriez dû voir sa tête ! Je vais lui montrer que je ne me laisserai pas faire ! »

Un soir, en rentrant de l'école, la jeune fille alla prendre du fil et une aiguille… et se mit à coudre le bandeau sur son front !

Bien sûr, on imagine qu'à ce stade le principal aurait aussi bien pu baisser les bras, peut-être en maugréant : « Quelle sotte, elle va se blesser ! »

Lorsque j'ai demandé à la jeune fille ce qui s'était passé ensuite, elle m'a répondu que le principal n'avait absolument pas fait marche arrière, mais qu'au contraire il continuait à la harceler. Sa réaction me semble une excellente illustration de ce qu'est un rapport de force. En effet, il ne lui est pas venu à l'esprit de partager la faute en disant : « Nous n'avons pas cessé de *mutuellement* nous harceler. »

Lors des séminaires qui se tiennent ici, nous parlons quelquefois de cette histoire. Il me semble intéressant de constater qu'au début la discussion consiste à déterminer qui a tort et qui a raison. Chacun expose alors sa théorie sur la manière dont le principal ou la jeune fille aurait pu l'emporter.

Pour ma part, je crois qu'*il n'y a pas de victoire décisive dans une lutte de pouvoir.* J'y vois simplement deux individus pris dans un piège et qui n'arrivent pas à trouver une issue.

A mon cabinet, lorsque je me trouve face à des personnes affichant cette attitude, je pars du principe qu'elles sont continuellement impliquées dans d'innombrables rapports de force. Il est probable qu'à leurs yeux on ne peut qu'être alliés ou ennemis, gagnants ou perdants ; on a raison ou on a tort. Elles doivent alors faire preuve d'une vigilance extrême pour démasquer et punir les *méchants,* ceux qui essaient de profiter d'elles, qui contrent tous leurs efforts pour vaincre.

Je suis certaine que tous ceux qui voient le monde ainsi passent tout leur temps à la recherche d'individus ayant la même tournure d'esprit. Pour peu que vous tendiez l'oreille, peut-être les entendrez-vous tenir ces propos fatals : « Je ne pouvais tout de même pas les laisser faire... Ou alors, il leur fallait d'abord me passer dessus ! »

Il m'arrive parfois d'appeler cette attitude consistant à instaurer des rapports de force le *piège de la colère* ou l'*habitude de la colère.* Toutefois, quel que soit le terme employé, voyons quelle attitude adopter pour obtenir de meilleurs résultats.

8. Un point de départ pour la résolution des problèmes

Imaginons un instant que le monde soit une sorte de défilé allant de la naissance à la mort. Cette image montre bien à quel point il est important de garder la tête haute et de continuer à progresser. Elle montre également que la survie dépend de notre aptitude à nous relever après chaque chute. Mais qu'est-ce qui fait que l'on se relève rapidement, lentement ou pas du tout ?

Je pense que la réponse réside dans la position de départ. Posons un problème et examinons-le sous différents angles.

Supposons que nous travaillons sur un projet – par exemple un puzzle – et que nous avons besoin de dix pièces alors qu'il n'y en a que deux devant nous. La première façon d'aborder le problème consiste à dire que le seul moyen d'avancer est d'obtenir les pièces manquantes. Voyons ce qui se passe alors.

Etant donné que l'on est alors immobile, on est bousculé par les autres personnes du défilé. On est alors de moins en moins en mesure de fonctionner correctement, puisqu'on doit lutter de plus en plus pour se remettre des coups répétés. Comme on perd l'équilibre plus souvent, on est également découragé et de moins en moins enclin à garder la tête haute.

Si on part de là pour résoudre nos problèmes, l'échec est inévitable. De plus, chaque défaite est plus douloureuse que la précédente. Lorsque la douleur devient insoutenable, il ne reste plus qu'à rester à terre, ce qui évite d'avoir à subir la honte d'autres échecs.

Pendant ce temps, les personnes qui participent au défilé nous piétinent au lieu de nous contourner. Dans un dernier effort, on peut tenter une dernière action : menacer du poing les *méchants* qui nous abandonnent sur le bord du chemin.

Prenons maintenant un autre point de départ pour le même projet : on n'a toujours que deux pièces du puzzle alors qu'il nous en faut dix.

Pour commencer, on peut tirer parti de ce dont on dispose au lieu de se lamenter sur ce qui fait défaut. Autrement dit, quel que soit le problème à résoudre, on peut partir du même point, mais en se demandant cette fois que faire avec ce que l'on a. En gardant cette question à l'esprit, il est plus facile de rester alerte et de regarder devant soi. On est alors mieux à même de faire face aux situations auxquelles on est confronté.

En partant de ce point de vue, vous remarquerez peut-être qu'il importe peu de savoir de combien de pièces vous disposez pour résoudre le problème. Au fond, la vraie question est la suivante : *que faire avec ce que j'ai ?* Il est vrai que cette attitude exige une grande habileté pour retomber sur ses pieds, d'autant plus lorsqu'on avance sur des sables mouvants.

Mais essayer d'éviter les risques s'avère encore pire. On est alors pris dans le filet des rapports de force, se débattant constamment pour reprendre pied et marcher d'un pas assuré sur un terrain meuble.

Heureusement, il peut être amusant de travailler son habileté. On peut même arriver à en tirer une certaine fierté, et regagner confiance en soi.

❧✿☙

9. La solitude favorise l'équilibre

En y regardant de plus près, il apparaît clairement que garder son équilibre se fait dans la solitude. Il suffit, pour le comprendre, de regarder un bébé qui s'essaie à marcher.

Même bien guidé et soutenu, garder l'équilibre est une chose que l'on apprend à faire tout seul. Et chaque pas est un nouveau risque à prendre.

Le pire des pièges est peut-être la crainte du ridicule. Pourtant, on ne peut jamais avoir la certitude, à l'avance, de faire ce qui est juste. Il arrive à tout le monde de prévoir quelque chose, d'avoir la conviction de faire exactement ce qu'il faut, puis de se rendre compte plus tard de l'étendue de son erreur.

Mais si on ne peut être sûr de ce qu'il faut faire avant de commencer effectivement, il me semble évident que ceux qui nous entourent et nous guident ne peuvent pas le deviner non plus.

Mais, lorsque l'on a peur et que l'on avance d'un pas incertain, est-on réceptif aux paroles réconfortantes ? Seulement un peu. En fait, c'est souvent trop compliqué. On ne peut pas réellement expliquer aux autres les décisions que l'on prend à chaque instant pour garder l'équilibre. Il y aurait trop à dire et les autres ne sont pas toujours disponibles (même s'ils font preuve de bonne volonté) ; ils sont trop occupés à garder leur propre équilibre.

Nos pensées évoluent trop vite pour être exprimées avec des mots. Il est impossible de les verbaliser entièrement. De plus, il arrive que les mots nous manquent. Si je dis par exemple que «j'ai mal», je ne peux pas exprimer la nature, le degré, la fréquence ni l'importance de ma douleur à mes yeux. En outre, il est probable que celle-ci change à mesure que j'en parle.

Prenons le cas d'un jeune homme qui a eu un accident avec la voiture de son père un samedi soir. Il essaie désespérément d'expliquer ce qui s'est produit, exposant en détail le problème

qu'il essayait de résoudre à l'instant même de l'accident :
«Jean a dit ceci, Pierre a répondu cela... et j'ai pensé que peut-
être...» Il n'est guère surprenant que plus d'un père ne cher-
chera pas à en savoir plus. Sans doute abandonnera-t-il la discussion en marmonnant quelque chose comme : «Ah! c'est
malin...»

10. Deviner les motivations des autres

Que se passe-t-il quand on a la conviction de savoir ce qui
se passe dans l'esprit d'un autre ? Voici à quel point on peut se
tromper :

Une dame m'a raconté qu'à une certaine époque, lorsqu'elle
se sentait déprimée, elle appelait sa meilleure amie pour la
prier de venir passer un moment en sa compagnie. En dépit de
ses demandes, celle-ci ne se déplaçait jamais, l'invitant au
contraire à se rendre chez elle. A chaque fois que cela se pro-
duisait, la dame déprimée se levait, s'habillait et allait chez
son amie en ville, mais à contrecœur. Une fois sur place, elle
se sentait encore plus déprimée et contrariée de ne pas comprendre pourquoi son amie n'avait pas voulu se déplacer. De
toute évidence, celle-ci n'avait rien d'important à faire.

La dame déprimée était certaine que si son amie avait vraiment tenu à elle elle serait venue la trouver lorsqu'elle le lui
demandait. Convaincue que ce n'était finalement pas une véritable amie, elle prit ses distances et leurs relations devinrent
moins intimes.

Des années plus tard, elle eut l'occasion d'expliquer à cette
amie les raisons de sa colère. La réponse de l'amie fut la suivante (il s'agit d'une histoire vraie) : «A l'époque où tu me
demandais de venir, je souffrais des genoux, mais je ne voulais
pas que cela se sache. Je ne pouvais tout simplement pas monter les marches de ton escalier.»

Voici une autre histoire qui montre bien que nos suppositions
ne sont pas toujours aussi justes que nous nous plaisons à le

croire : un homme vient de s'acheter une nouvelle voiture. La carrosserie rouge rutile. En sortant de chez le concessionnaire, il a du mal à contenir sa fierté. Près de chez lui, alors qu'il traverse un croisement, il entend des cailloux tambouriner le toit de son véhicule. Fou de rage, il écrase la pédale de frein et bondit hors de la voiture. Furieux après ces garnements qui ont osé jeter des pierres sur sa voiture neuve, il se lance à leur poursuite. En courant, il aperçoit un petit garçon de 6 ou 7 ans qui l'aborde en pleurant. « Monsieur, Monsieur, je suis désolé d'avoir fait ça... mais ma petite sœur s'est fait mal en tombant et j'ai peur qu'elle soit morte. Je n'ai trouvé que ce moyen pour vous appeler au secours. »

11. Bric-à-brac mental

Nos suppositions quant aux intentions des autres sont, selon moi, bien souvent erronées. Pour moi, le cerveau s'apparente à un bric-à-brac par lequel on s'efforce constamment de ne pas se laisser submerger. Alors, on brasse, on prend des décisions quant à ce qu'il faut garder, jeter, ranger...

Quelque part, au milieu de cette collection de vieilleries amassées au cours de toute une vie, je pense qu'une sorte d'ordinateur naturel veille à maintenir un certain équilibre en envoyant des messages : « Fais ceci, fais cela... »

Il me semble qu'il serait totalement impossible de bien connaître tout ce qu'il y a dans le grenier d'une autre personne, encore moins comment il est rangé à un moment donné. En fin de compte, comprendre vraiment comment une autre personne garde son équilibre est aussi difficile que vivre dans un désert pour un poisson.

Bien que ce soit un peu tiré par les cheveux, on peut prendre un autre exemple. Supposons que l'on décide de projeter une image de tous les objets disparates en les disposant de telle sorte que l'on puisse en faire un ensemble structuré et cohérent et se dire : « Voilà, j'ai compris à quoi cela ressemble. »

12. Ne pas aider les autres directement

Si on passe son temps à faire des suppositions et à essayer de savoir ce que veut autrui afin de pouvoir l'aider, qu'arrive-t-il ? Très souvent, on se retrouve à faire ce constat : « Mais je voulais simplement l'aider, ce n'est tout de même pas un crime ! » Tout ce que je vois, c'est que cette « aide » apparaît souvent aux autres comme une indiscrétion irritante. On ne se rend peut-être pas toujours compte que non seulement notre propre bric-à-brac n'aide pas à savoir ce que veut l'autre à un moment donné, mais que, généralement, celui-ci ne peut même pas l'expliquer.

Par exemple, si quelqu'un vous dit : « Je me sens un peu patraque ce soir, je crois que cela irait mieux si vous... » Quoi que vous fassiez, l'autre pourra se dire qu'il ne se sent pas mieux et que vous devriez essayer autre chose. Ce que vous ferez. Il vous demandera alors de tenter encore autre chose et cela peut continuer indéfiniment. C'est d'ailleurs probablement ce qui se produit tant que vous croyez vous-même qu'en vous donnant suffisamment de mal, l'autre finira par aller mieux et retrouvera l'équilibre.

Je pense que ce genre de situation est particulièrement propice à la confusion. En effet, on arrive effectivement, en certaines occasions, à se distraire mutuellement de ses problèmes respectifs. Cela peut même s'avérer bénéfique, dans certaines circonstances du moins.

Bien entendu, il arrive que l'on s'aide réellement les uns les autres, mais je pense que c'est plus souvent par accident que volontairement.

Ce qui me semble néfaste, c'est de trop en faire en essayant d'aider les autres directement. Les bénéficiaires supposés de cette assistance peuvent alors se sentir un peu perdus, mal à l'aise. En effet, cela les place dans l'obligation de repousser nos avances. Ils peuvent se sentir vexés d'être ainsi privés de leurs chances de recouvrer la confiance en agissant par eux-mêmes.

Ils peuvent alors se poser avec tristesse la question suivante : «Pourquoi est-ce que je cherche à te frapper quand tu fais tout pour m'aider ?» La réponse qu'ils se feront sera sans doute : «C'est sans doute moi qui suis *mauvais,* puisque toi tu es si *bon.* Tu es la seule personne qui fasse l'effort de m'aider.»

Si nos efforts engendrent une telle confusion, il n'est pas surprenant que nous passions tant de temps à nous défendre et à nous sentir blessé : «Personne ne se rend compte à quel point j'essaie... Personne ne me comprendra jamais... Je voulais simplement...»

Posez-vous donc cette question : combien de fois, alors que vous aviez désespérément besoin de secours, quelqu'un a-t-il pu vous aider exactement de la bonne manière, au bon moment et au bon endroit ?

Ce qui est remarquable, selon moi, c'est l'importance que l'on accorde habituellement à notre capacité à aider et à être aidé directement.

13. Pour préserver sa sécurité

Comment trouve-t-on le courage de continuer alors qu'à chaque pas on s'enfonce davantage dans l'inconnu ? Que se passe-t-il quand on n'arrive pas réellement à se comprendre, ni à s'aider les uns les autres ?

En quête d'une méthode permettant de se sentir le mieux possible, on ne cesse de bâtir des théories. Peut-être s'inscrivent-elles dans le cadre d'un système de croyances reconnu ou bien sont-elles une création toute personnelle. Mais je constate que l'on passe son temps à faire des observations et des prédictions, à affiner ses théories. «La vie est un perpétuel apprentissage», se dit-on.

Toutefois, même désireux de comprendre pleinement ce qui se passe afin de se sentir plus à l'aise dans un monde effrayant, on est considérablement limité. Par exemple, s'il était possible de connaître tous les secrets de l'univers d'un simple claque-

ment de doigts, je pense qu'il se produirait ceci : du simple fait
de la nature humaine, on ne pourrait prêter attention qu'à une
minuscule partie de cela et on comprendrait encore moins.

Dans ces conditions, comment se sentir à l'aise en dépit de
ces limitations, en pleine possession de ses moyens, suffisamment fort, capable de ne pas se laisser submerger ? Comment
comprendre assez de choses pour se frayer un chemin dans la
vie et obtenir au moins un peu d'aide quand les circonstances
sont particulièrement adverses ?

Quelques commentaires sur ces théories :

❐ Il peut sembler logique de croire que pour être à l'abri des
critiques – pour ne pas « se rendre ridicule » – il faut prendre
le moins de décisions possible. Il vaut mieux se contenter de
faire le dos rond, se tenir à l'écart, pour que tout aille bien. Si
on se fonde sur cette théorie pour continuer à défiler avec nos
congénères, je ne crois pas que l'on obtienne un résultat satis-
faisant. Je pense que l'on risque de se heurter à des obstacles
de tous côtés, voire de se retrouver sur le bord du chemin avec
des bleus et des égratignures. On aura alors le sentiment d'être
exclu, de n'être plus « personne ».

❐ Il peut sembler logique de croire que l'on peut échapper
aux reproches que l'on craint tant en se contentant de suivre le
mouvement. Si on participe à un défilé, le prix à payer sera de
ne pouvoir compter sur personne. Si c'est le chef qui prend
toutes les décisions, comment s'en sortir s'il se trompe ? Il
n'est pas surprenant que l'on soit si désireux de lutter contre
cette incapacité à s'en sortir seul et qu'on opte alors pour la
solution de facilité : blâmer les chefs.

❐ Il peut sembler logique de croire qu'en se montrant suffisamment aimable et prévenant, les autres seront également
enclins à nous aider le moment venu – tout comme on le ferait
pour eux. Cependant, en participant au défilé, chacun s'efforçant de garder l'équilibre, il est improbable – voire impossible – de savoir ce dont chacun a besoin et de le lui donner.

«Ces ingrats ! Ils se fichent pas mal de savoir si je me saigne aux quatre veines pour les aider !»

14. Je fais toujours de mon mieux

Il me semble que la seule issue réside dans des théories nous aidant à délier notre jeu de jambes. Nous savons que plus nous nous montrons capable de faire les choses «en mesure», plus nous y prenons de plaisir. Laissez-moi exposer la théorie que j'applique à moi-même.

Comme nous l'avons vu plus haut, je pense que nous avons en nous une sorte d'ordinateur qui nous aide à y voir clair dans notre bric-à-brac intime. C'est moi qui ai choisi de croire que c'est dans ma nature de toujours faire de mon mieux pour garder l'équilibre, quels que soient les éléments qu'utilise mon «ordinateur» à un moment donné.

Mon bric-à-brac est extrêmement touffu et la plupart du temps inconscient ; aussi, je me rends compte qu'il m'est impossible de savoir précisément ce que je fais exactement à un moment donné. Heureusement, je n'ai pas à exposer des faits pour montrer que je fais de mon mieux, la question n'étant pas là. Ce dont il s'agit, c'est de mon choix de croire que quoi que je fasse, compte tenu de ma propre description de ma nature, la décision que je prends à un moment donné est la meilleure. Après tout, ce n'est pas un crime d'être humain et dans l'obligation de prendre des décisions alors que l'on ne dispose jamais d'informations suffisantes.

Ma conviction que je fais de mon mieux m'accompagne partout. Dans deux ans, ou à un moment quelconque dans l'avenir, *quoi que je fasse je choisirai d'avance de croire que je ferai de mon mieux et à tout moment*. En fait, c'est un peu comme si j'étais à la fois juge et partie.

Ayant choisi cette conviction, je ne perds jamais de temps à faire mon autocritique, à me sentir coupable ou sur la défensive. Si je tombe, je me relève et suis disposée à recommencer.

Comme je participe au défilé, ma position de départ est telle que je reste prête à faire face à tout ce qui se présente. Je trouve tout cela fascinant. Tout le monde semble croire que l'auto-critique est la meilleure motivation pour poursuivre des objectifs nouveaux et plus élevés. En ce qui me concerne, l'expérience m'a montré que *si dès le départ on considère que l'on fait constamment de son mieux, tout est beaucoup moins stressant.* A partir de là, on est de plus en plus efficace.

15. J'ai le choix de me sentir bien avec moi

Je trouve intéressant que quelqu'un m'ait dit un jour que *j'avais le choix de me sentir bien dans ma peau,* que je fasse de mon mieux ou non. Je croyais que se sentir bien ou mal arrivait simplement comme cela. N'en va-t-il pas de même pour tout le monde quand tout se déroule normalement ou, au contraire, quand tout va de travers ? Le monde n'est-il pas ainsi fait ?

Ce dont il est question ici, c'est d'apprendre à *se sentir en harmonie avec soi-même.* Il s'agit de savoir comment garder l'équilibre, tout le temps, quelles que soient les circonstances. Pour cela, il suffit de prendre conscience que *c'est à chacun de choisir ce qu'il veut croire.*

Ce qui est important pour moi, c'est que j'ai même arrêté de juger les autres. Pour cela, je pensais devoir réaliser l'impossible : d'abord les comprendre parfaitement. Une fois que j'ai compris que cela relevait de la chimère, je n'ai plus porté de jugement.

Les conséquences secondaires ont été très bénéfiques : ne jugeant pas les autres, je ne crains plus de l'être moi-même. En effet, je sais maintenant grâce à mon expérience que tout le monde n'est pas aussi enclin à porter des jugements que je l'étais. En outre, je me rends compte aujourd'hui que c'était justement cela qui me faisait craindre le regard des autres à propos du moindre de mes actes.

16. Une mauvaise direction

Que se passe-t-il si on choisit de croire qu'on ne fait pas de son mieux ? Je pense qu'on prend alors une très mauvaise direction qui nous fait vivre dans la peur d'être soi-même du « mauvais » côté de la barrière. Ces craintes s'expriment de diverses manières, mais ce que j'entends le plus souvent dans mon cabinet, ce sont des commentaires tels que : « Il doit y avoir quelque chose qui ne va pas chez moi… Peut-être que j'ai une case en moins… ou bien un monstre se cache quelque part au fond de moi. »

Ces craintes varient parfois en intensité, mais elles sont persistantes et peuvent se montrer terrifiantes. Je pense que, consciemment ou non, nombre d'entre nous passent beaucoup de leur temps à essayer de prouver qu'ils sont *bons*. Chacun voudrait être sûr que personne ne suspecte que cette façade puisse dissimuler de la méchanceté.

Ainsi, consacre-t-on l'essentiel de son énergie à prouver que l'on est *bon*. On s'induit soi-même et les autres en erreur en essayant de démontrer ce qui n'a pas besoin de l'être. Une fois engagé sur cette voie erronée, on décèle de plus en plus souvent nos « cases manquantes », témoins à nos yeux de cette nécessité de prouver qu'on ne fait pas partie des *méchants*. C'est un peu comme si on était persuadé de marcher sur le bas-côté tandis que le défilé se déroule sur la chaussée. Il faut alors lutter pour montrer au moins que l'on mériterait de marcher avec les autres.

Mais depuis ce point de vue situé en contrebas, on a une vision déformée de la réalité. D'abord, l'angle de vision est toujours orienté vers le haut ou vers le bas. Les autres se trouvent soit au-dessus, soit en dessous de nous. Les gens se répartissent entre *gagnants* et *perdants,* entre *grands* et *petits :* « Il est trop fort et puissant… Il faudrait le rabaisser d'un cran ou deux. » On consacre une énergie et un temps considérables à essayer de détecter tous ceux qui « cherchent à écraser les autres ».

Lorsque l'on trébuche tout en essayant de garder la tête droite, on prend des décisions parfois terribles. Il n'est donc pas surprenant qu'il soit aussi difficile de considérer que l'on fait de son mieux. Alors, on garde la conviction de n'être tout simplement pas tel qu'on devrait être. On ne sera « à la hauteur » qu'en se montrant meilleur, plus grand, plus mince, plus fort, plus aimable… bref, toujours plus !

On est alors pris dans un infini rapport de force. On se trouve obligé de dénoncer ceux qui « ne nous aiment pas » et « ne nous aident pas » à avoir le sentiment de faire partie des *bons*. Cependant, ils se montrent rarement coopératifs. En fait, il est peu probable qu'ils admettent que l'on soit meilleur, plus grand, plus mince, plus fort ou plus aimable…

Mais le prix à payer pour cela est élevé. Inévitablement, le monde se montre de plus en plus hostile dans la mesure où l'on pense et agit constamment en partant du principe suivant : « C'est eux ou moi ! »

Pour sortir de cette logique, une seule méthode s'impose : il faut d'abord se rendre compte qu'**on a le choix de croire qu'on fait déjà de son mieux.** Il n'est donc nullement nécessaire de faire appel à des faits ou à des comparaisons pour le prouver.

17. Au-dessus du défilé

Supposons que l'on participe à un défilé, et qu'une ligne soit tracée au-dessus de nos têtes. On a décidé d'atteindre un certain point permettant de marcher sur cette ligne imaginaire dans les airs. Ainsi, les autres ne se douteront que l'on marche en fait au-dessus d'eux.

Quelle que soit la manière dont on décrit notre quête, ce que l'on se dit à soi-même revient à ceci : « Si seulement je peux atteindre ce point, je trouverai ce que je recherche. Alors je me sentirai mieux et obtiendrai des autres la reconnaissance, la considération, la coopération et les attentions que je mérite. »

A mes yeux, cette démarche est vouée à l'échec, le but recherché étant placé trop haut. On passe son temps à se débattre au-dessus de la mêlée, dans une sorte de *no man's land*. Mais comme on se sent inférieur au départ, il est impossible d'en retirer le moindre bien-être. On reste donc sur sa faim. Rien ne semble permettre de se sentir mieux.

Le point de départ joue en effet un rôle primordial. Si on part du principe qu'on est au même niveau que les autres, il n'est plus question de regarder vers le haut ou vers le bas. Tout le monde titube et trébuche, tout le monde est obligé de surveiller où il pose les pieds et tout le monde rencontre les mêmes difficultés.

18. «J'ai tout essayé!»

Tandis qu'on évolue dans les airs, évitant de retomber dans les sables mouvants, voire plus bas encore, on en arrive tôt ou tard à la conclusion suivante : la raison pour laquelle il est impossible de rester en l'air, là où on croit être à sa place, c'est que *les autres* ne sont pas coopératifs. Il faut donc tout mettre en œuvre pour les convaincre que l'on a besoin d'aide. Après tout, cela se voit ; on se donne assez de mal, non ?

L'échec étant inévitable, l'aide attendue pour garder l'équilibre ne pouvant être obtenue que par ses propres moyens, il semble que peu importe la méthode utilisée pour arriver à ses fins. Mais voilà justement le problème : dès que l'on est en déséquilibre, les deux méthodes que l'on applique le plus souvent pour améliorer son sort ne font qu'empirer les choses, tant pour soi-même que pour autrui.

Ces deux méthodes sont les suivantes : dans un premier temps, on essaie de se montrer assez aimable pour mériter d'être aidé. Puis, en cas d'échec, on se met en colère et on a recours à la force. Il n'est pas rare qu'à mon cabinet je recueille des propos tels que : «J'ai pourtant bien essayé d'être aimable!» Tout se passe comme si le narrateur n'avait pas d'autre choix que de piquer une crise quand les autres se montrent peu coopératifs.

Ce que je constate, c'est que quelle que soit la méthode employée pour obtenir ce que l'on veut – amabilité ou coercition – les autres préfèrent garder leurs distances et rester hors de notre portée.

Il me semble que l'on se soit piégé en croyant que les autres feraient l'impossible, qu'ils essaieraient d'atteindre un but que l'on est seul à pouvoir atteindre. En voulant les forcer à voir les choses de notre point de vue, on ne fait qu'empirer les choses et se mettre encore plus en colère.

19. La gentillesse ne marche pas

Quand des personnes piégées dans des rapports de force viennent me consulter pour obtenir de l'aide, ce qui les terrorise c'est qu'elles se sont rendu compte que la gentillesse ne marchait pas. « Rien de ce que je faisais n'était assez bien... Quoi que je fasse, ça ne leur plaît pas ! », se lamentent-elles. C'est comme si elles dressaient un constat d'échec total au bout de toute une vie, « et personne ne se rend compte du mal que je me donne ! ».

A mon avis, nous n'arrivons pas à nous montrer assez aimable pour que les autres s'attardent sur notre sort assez longtemps. En effet, ils risqueraient de perdre eux-mêmes l'équilibre pour nous aider à garder le nôtre. Dans ce cas, nous concluons que notre colère est justifiée. Après tout, à en faire tant pour les autres ne méritons-nous pas d'être aidé ? Comme il est angoissant de savoir qu'ils ne nous aideront pas si nous avons besoin d'aide à notre tour !

Nous souffrons en silence le plus longtemps possible, puis vient un moment où nous explosons, ce qui nous culpabilise, et les choses empirent. Notre peur omniprésente de nous-même ne fait que se renforcer. « Je ne suis pas ce genre de personne, protestons-nous. Je ne sais pas ce qui m'a pris. » A ce stade, nous avons acquis la certitude que nous sommes un récipient contenant un sinistre poison, prêt à déborder dès que nous relâcherons notre vigilance. Nous devons donc rester continuellement sur nos gardes afin de ne pas passer pour un *méchant*.

Pourtant, nous nous donnons tellement de mal pour faire bonne impression que nous avons peine à admettre que les autres ne le reconnaissent pas. Mais cela devient carrément intolérable s'ils se mettent en colère contre nous. Si notre peur déjà trop douloureuse d'être mal considéré fait mine de remonter à la surface, nous pensons qu'il est impératif de passer à l'attaque pour mieux nous défendre. Nous nous comportons alors comme si un chien enragé s'en prenait à nous, n'arrivant plus à dominer notre douleur, et peu importe la taille des pierres que nous lui jetons.

Comme il s'ensuit des rapports de force aussi déplaisants que futiles, il nous est totalement impossible de bannir le sentiment de méchanceté dont nous sommes désormais convaincu. Nous ne pouvons pas non plus nous sentir à l'aise en attaquant violemment les autres ni en nous défendant contre leurs attaques.

Peu importe que la bataille soit sanglante, nous n'obtenons pas le résultat escompté : cela prouve bien que c'est l'autre le *méchant,* qu'il est pire et qu'il «a encore plus tort que nousmême», ce qui présente en revanche l'avantage de nous revigorer un peu.

20. Colère et douceur

Il existe une relation intéressante entre la colère et l'amabilité. J'en suis venue à penser que la colère vient principalement de notre déception de ne pouvoir plaire aux autres – afin d'obtenir leur coopération et de faire bonne impression. Je suis arrivée à cette conclusion en parlant à des personnes extrêmement en colère, dont certaines auraient voulu la destruction complète du monde. Je rencontre également des personnes plus «mesurées» qui n'en demandent pas tant : la destruction des habitants de leur monde personnel suffirait !

Mais quel que soit mon interlocuteur, ce qui saute aux yeux, c'est qu'il est avant tout déçu lorsqu'il déplaît à quelqu'un. *Et c'est par la colère qu'il réagit.*

Comme nous l'avons vu plus haut, ni la gentillesse ni la colère ne permettent d'obtenir des résultats durables. Nous mettre en colère parce que la douceur ne permet pas d'obtenir les résultats escomptés ne fait qu'empirer les choses. Les personnes visées se rendent parfaitement compte, à juste titre, que ce que nous essayons alors de faire, c'est de les contrôler.

Il est évident que ces tentatives sont encore plus apparentes si nous nous mettons en colère au lieu de faire preuve d'amabilité. Mais alors, soit les autres ripostent, soit ils «marchent sur des œufs» en attendant de pouvoir prendre leurs distances. C'est alors que se réalisent nos pires craintes : nous sommes vraiment *mauvais.* Que les autres choisissent de riposter ou, au contraire, de se retirer discrètement, nous nous retrouvons seul.

Si la douleur de nos échecs et l'isolement qui en résulte deviennent trop difficiles à supporter, nous essayons les analgésiques, ayant recours à l'alcool ou à la drogue, voire au suicide à l'extrême. Certains cherchent refuge dans un monde de fantasmes ; d'autres, enfin, font abstraction de leurs sentiments et s'enferment dans l'indifférence.

La pire méthode consiste peut-être à blâmer les autres. Même si dans un premier temps, quand nous déclenchons des rapports de force afin de démontrer que ce sont les autres les *méchants,* cela ne nous aide guère à faire bonne figure, ces luttes de pouvoir présentent au moins un avantage : si nous avons désespérément besoin de respirer un peu, nous détournons l'attention sur les autres, ce qui nous permet de reprendre notre souffle, ne serait-ce qu'une fraction de seconde.

Bien entendu, cette attitude a un effet boomerang. Mais si nous arrivons à porter un coup suffisamment fort, quelles qu'en soient les conséquences, le bref répit que nous en tirons vaut la peine de blâmer les autres.

Au moment où j'écris ces lignes, la personne qui vient de quitter mon cabinet se plaignait de violentes douleurs dans la poitrine. A l'instar de bien d'autres, cet homme est convaincu d'être *mauvais* depuis si longtemps que sa douleur est pratiquement intolérable : il est persuadé d'avoir déçu sa mère. Il n'ose pratiquement pas respirer. Le simple fait d'être en vie est à ses yeux synonyme de blessure infligée à autrui.

21. Le problème, ce n'est pas le cheveu dans la soupe

Il me semble remarquable que dans notre société, dès que nous parlons de notre colère c'est pour évoquer ce qui l'a suscitée. « Oh, Arnaud se fâche toujours dès que… Thierry ? Il ne se met en colère que si… »

Et si la colère n'était qu'une habitude ? S'il s'agissait d'une manière familière de traiter l'information afin de se persuader de son bien-fondé ? Il me semble que nous nous sommes focalisé longtemps sur les déclencheurs de la colère et sur le fait qu'il est mauvais de la garder pour soi. Du même coup, nous sommes passé à côté d'un élément important : *et si le problème venait de la colère elle-même ?*

Lorsque j'organise un atelier, je présente souvent une pantomime intitulée : « Le problème, ce n'est pas le cheveu dans la soupe » :

Quatre hommes sont dans un restaurant séparément, et chacun trouve un cheveu dans son potage.

– Le premier en profite pour attirer l'attention en amusant l'auditoire. Il compare le cheveu avec ceux de la serveuse et la plaisante un peu. Ensuite, il l'enroule autour de son doigt et sort en le mettant dans sa poche de chemise, près du cœur.

– Le second se met en colère, renverse la soupière et quitte le restaurant.

– Le troisième a la nausée et se précipite vers la sortie.

– Le quatrième, sans doute le plus affamé, se contente de donner une pichenette au cheveu et avale son potage en quelques gorgées.

La discussion qui s'ensuit dans l'atelier repose sur la question suivante : si le problème de l'homme en colère n'était pas le cheveu dans le potage, quel était-il ?

Beaucoup de participants déclarent que c'était son attitude. Tous s'accordent à dire qu'il avait déjà un problème en arrivant au restaurant, par exemple une dispute avec sa femme ou un autre événement quelconque. Selon moi, cet homme avait l'habitude de se mettre en colère. Sa vision du monde l'a convaincu qu'il devait se fâcher si les choses n'allaient pas comme il le souhaitait. Il justifie sa colère constamment et automatiquement.

Ce qui est trompeur, c'est que cette attitude semble donner de bons résultats, du moins temporairement, par exemple en frappant un enfant pour qu'il obéisse immédiatement. Mais si c'est la seule méthode que nous connaissons pour résoudre nos problèmes, il y a fort à parier que nos pires craintes quant à notre « méchanceté » ne feront que se renforcer. A la longue, nous finirons par nous retrouver de plus en plus seul…

Dans les discussions qui suivent la pantomime, il n'est pas inintéressant de constater que les participants s'identifient à l'homme en colère… et à sa culpabilité après coup. Mais nous nous accordons tous à dire que si les autres clients du restaurant le rencontraient dans la rue, ils changeraient probablement de trottoir.

Ces discussions amènent également à évoquer la façon de rompre cette habitude de la colère et à savoir comment la remplacer par une autre, plus constructive. Souvenez-vous : le premier client qui a trouvé un cheveu dans son potage en a plaisanté. En quittant le restaurant, il l'a fourré dans sa poche de chemise, tout près de son cœur. Il est probable que cet homme a toujours eu l'habitude de tirer le meilleur parti possible des circonstances et de s'en amuser à chaque fois que c'était possible. Et s'il s'agit là de sa démarche habituelle pour résoudre les problèmes, que se passe-t-il ? A mon avis, on peut affirmer sans risque de se tromper que les gens ne se tiendront pas à l'écart pour éviter sa colère.

22. Observer ou juger

Face à un problème, deux attitudes sont possibles : observer ou juger.

❒ **L'observation :** en défilant avec nos congénères, nous nous efforçons d'observer le plus possible ce qui se passe autour de nous. Nous apprenons à identifier des éléments aussi divers que l'eau chaude ou les buissons de bruyère. En même temps, nous faisons de notre mieux pour garder la tête droite, le regard droit et les pieds sur terre. Nous nous rappelons constamment que nous avons besoin d'observations justes pour prendre des décisions pertinentes. Nous cherchons en permanence à tirer le meilleur parti de ce que nous avons.

❒ **Le jugement :** nous jugeons si nous obtenons l'aide que nous pensons mériter. Au lieu de nous concentrer sur notre habileté, nous n'avons eu de cesse de mériter l'assistance à laquelle nous sommes persuadé d'avoir droit. Nous passons donc tout notre temps à juger si nous avons réussi ou non. Nous scrutons tout dans les moindres détails ; le moindre haussement de sourcil, le moindre pincement de lèvres sont interprétés. Nous cherchons désespérément à répondre à d'éternelles questions : « Vais-je obtenir ce que je mérite ? Pourquoi pas ? Qu'ai-je fait de travers ? Cela va-t-il m'aider ou non ? Cela signifiait-il que… ? Est-ce que je mérite plus d'être aidé si je fais ceci plutôt que cela ? Dois-je me tenir ici ? Ou plutôt là ? Ou m'asseoir ? »

Mais revenons un instant aux deux attitudes de départ possibles. Supposons que nous soyons vous et moi détectives et que nous cherchions à élucider le même mystère. Vous utilisez pour cela une liste contenant vos observations les plus exactes. Quant à moi, je pars des jugements que j'estime les plus justes quant à ce que je pense mériter. Lequel de nous deux est le plus susceptible de résoudre le mystère ?

23. Les jokers ne sont pas infaillibles

En décrivant la vie comme un défilé, je compare le Jeu de la vie à un jeu de cartes. Nous sommes tous des jokers. Nous pouvons aller dans n'importe quelle direction et intervenir n'importe où. Bien entendu, aucun jeu de cartes ne se joue uniquement avec des jokers, mais la vie est ainsi faite.

Voici donc ce que je suggère : nous nous tenons tous debout à une extrémité et notre équilibre est très, très précaire. De toute évidence, il suffit de nous pousser un tout petit peu pour nous déséquilibrer : « Il suffit qu'on me prenne à rebrousse-poil pour que… ».

Je ne crois pas possible de déterminer d'un simple coup d'œil quelle quantité d'énergie est nécessaire à chacun pour rester en équilibre à un moment donné. Nous ne pouvons donc pas savoir si les autres en ont à partager. Je pense que *nous nous blessons continuellement en attendant trop des autres*. Par exemple, si j'attends plus de vous que vous ne pouvez me donner, nous serons tous deux froissés. Je serai déçue, et vous aurez l'impression de ne pas avoir été à la hauteur.

L'ennui, c'est que nous disposons d'innombrables méthodes pour nous dissimuler que nous sommes sur le point de perdre l'équilibre. Alors, nous jugeons d'après ce que nous voyons. Autrement dit, nous risquons de mal interpréter les mobiles de l'autre : « Elle aurait pu m'aider… Elle ne faisait rien… Je travaille dur, mais elle s'en fiche ! Elle fait tout pour me blesser ! » Tôt ou tard, on se pose la question : « Est-ce donc trop demander ? » Peu importe le contenu, la réponse est toujours oui. Si nous espérons obtenir l'impossible, rien ne changera le fait que les jokers ne se présentent pas tels que nous le souhaiterions au moment voulu.

Sans doute y aura-t-il quelqu'un pour dire : « Mais je demande si peu ! Pourquoi ne veut-on pas m'aider, même un petit peu ? » Il n'est pas nécessaire de savoir pourquoi nous n'obtenons pas l'aide attendue. Ce que je constate, c'est que nous choisissons toujours d'être offensé et en colère si les jokers ne produisent pas l'effet voulu.

Comment déterminer la portée de ce que nous attendons de nous-même et des autres ? Ma réponse est que nous pouvons à tout moment voir ce que nous obtenons. C'est cela qui nous indique ce que nous pouvons espérer.

Et que faisons-nous de ce que nous obtenons, de ce qui nous est librement accordé ? Je pense que c'est à nous-même qu'il revient de le déterminer. Nous devons tirer parti de notre expérience, définir ce qui nous facilite les choses et quand les circonstances nous sont adverses. Par exemple, nous savons que nous ne serons pas toujours entouré de jokers se prenant eux-mêmes en charge. Quoi qu'il arrive, il est déjà suffisamment délicat de garder l'équilibre, mais ça l'est encore plus si nous nous penchons trop sur les problèmes des autres. Nous risquons de nous épuiser vainement, voire de rendre les choses plus compliquées encore si nous avons l'habitude de rendre autrui coupable de notre incapacité à nous tenir droit.

Il me semble que le meilleur service que nous puissions rendre aux autres participants du défilé est de nous concentrer sur notre propre équilibre et de le maintenir.

24. Prendre les choses du mauvais côté

Si nous sortons du défilé, par exemple après avoir été poussé sur le côté, nous commençons à « tourner en rond » et sommes piégé. Il n'est pas possible d'en sortir en prenant constamment « les choses du mauvais côté » – nous émettons des jugements et nous sommes froissé par l'attitude des autres qui, selon notre interprétation, ne nous aident pas suffisamment.

Voici quelques exemples de la manière dont cela se passe :

Supposons que vous ayez été vexée parce qu'une amie ne voulait pas suivre vos conseils – ce qui vous aurait permis de vous considérer comme «quelqu'un de bien», de sage et d'admirable. Vous boudez et la «fusillez» du regard. Quelle sera sa réaction? Elle gardera sans doute ses distances. Et vous, que ferez-vous? Peut-être allez-vous jurer vos grands dieux qu'elle a eu tort de vous insulter ainsi. Par conséquent, si plus tard elle vous demande un service, vous refuserez de le lui rendre et vous vous justifierez facilement ainsi : «Après m'avoir traitée de la sorte, elle ne devra plus compter sur moi.»

Un autre exemple. Supposons que vous ayez proféré tellement de menaces que vous avez obligé votre entourage à vous venir en aide. Bien sûr, vous auriez préféré qu'il le fasse de son plein gré, mais c'est mieux que rien. Cependant, comme les autres sont en déséquilibre et font de leur mieux pour vous aider, vous n'allez sans doute pas tarder à regretter d'être entouré de personnes qui semblent en faire trop.

Une mère est persuadée que ses enfants ne l'écoutent que si elle crie. Et plus elle crie, moins ils l'écoutent. A partir du moment où elle abandonne l'espoir de se faire obéir volontairement, elle ne sait plus que faire.

Il n'est pas inintéressant non plus de constater que notre discours, du simple fait de tout prendre du mauvais côté, révèle que nous sommes piégé. Le fait de personnaliser des phrases telles que : «Pourquoi a-t-on fait cela?» qui deviennent : «Pourquoi m'a-t-on fait cela?» est caractéristique de ce type de situation : c'est comme si les autres portaient leurs jugements et prenaient leurs décisions en fonction de nous. Nous sommes aveugle au fait qu'ils font peut-être de leur mieux pour garder leur propre équilibre, pour des raisons qui n'ont peut-être rien à voir avec nous.

Une exclamation telle que : «Je n'ai pas mérité cela!» donne l'impression que nous sommes au centre de tout. Nous nous déclarons *exploité, abusé,* et prétendons que l'on «nous fait passer pour un idiot». Nous tenons ce genre de discours quand nous n'arrivons pas à nous rendre compte que *nous sommes responsable de nos décisions*. Nous sommes dans l'incapacité de dire simplement : «Je n'ai pas compris la tournure prise par les événements. Je ne recommencerai pas.»

Nous sommes pris au piège. Nous en souffrons la plupart du temps, car nous sommes réellement persuadé d'être exploité et que tout le monde est contre nous. C'est ainsi que nous nous sentons dans l'incapacité totale d'améliorer la situation.

Pour soulager la douleur ainsi suscitée, on a souvent tendance à jouer encore plus les désespérés. En effet, nous savons par expérience qu'au moins quelques personnes feront l'effort de nous venir en aide – montrant leur sollicitude, «preuve» que nous en valons la peine. Il est bien facile de jouer cette comédie et de se dire : «Pauvre de moi!» Tant que nous pensons pouvoir attirer quelqu'un dans nos filets pour obtenir son aide, tout ce que nous avons à faire, c'est de nous plaindre le plus possible. Mais le piège se referme, et plus nous feignons le désespoir, plus celui-ci devient réalité.

Tout va alors de mal en pis, chaque jour apportant davantage de douleur et de désespoir. Même ceux qui essaient de nous venir en aide sont de moins en moins à l'aise. Ils veulent nous empêcher de nous enfoncer, mais leurs efforts restent vains. Ils finissent par se lasser et prennent leurs distances. Nous nous retrouvons seul une fois de plus.

Notre propension à «tout prendre personnellement» finit par nous enfermer complètement. La conviction qu'il ne sera pas possible d'en sortir risque, à l'extrême, de mener au suicide, voire au meurtre.

Ces deux réactions peuvent résulter de nos efforts à soulager une douleur insupportable lorsque nous n'obtenons pas l'assistance attendue. Elles peuvent résulter du désir de frapper ceux qui, croyons-nous, sont à l'origine de cette douleur : «Ils s'en mordront les doigts!»

25. Acceptation et considération

Pour échapper à ces cercles vicieux, je pense que nous pouvons apprendre à voir le monde différemment. Nous pouvons faire face à l'avenir, observer avec le plus de précision possible, accepter ce que nous voyons – que nous vivons effectivement dans un monde de sables mouvants – et traiter l'information. Ce n'est qu'une fois que nous avons décidé de notre but que nous pouvons être efficace.

J'accorde une attention particulière à l'*acceptation,* car je crois que c'est surtout cela que nous attendons les uns des autres. Après tout, je ne suis que ce que je puis être à cet instant même et vous n'êtes que ce que vous pouvez être. Cependant, ce à quoi je pense, c'est plutôt à la difficulté qu'il y a à s'accepter avec ses limitations… et combien il est précieux de se sentir accepté par les autres.

Ce que nous recherchons en réalité, c'est davantage qu'une simple acceptation. Quel que soit le mot habituellement utilisé pour désigner l'objet de nos désirs, j'utiliserai celui-ci pour le moment. Et c'est quelque chose que nous attendons au moins d'un certain nombre de personnes. Sans doute sommes-nous conscient qu'elles ne peuvent pas directement nous aider à garder notre équilibre, mais nous espérons qu'au moins elles manifesteront de l'intérêt pour nos efforts.

Revenons un instant à notre lutte permanente pour l'acceptation de soi, un point méritant que l'on s'y attarde : nous connaissons certes l'importance de la considération que nous témoignent les autres. Cependant, nous savons également à quel point nous pouvons être mesquin quand il s'agit de leur retourner cette même considération.

Au lieu de cela, notre non-acceptation est souvent flagrante. Nous nous disons continuellement : «Ce serait tellement mieux – pour ton bien, évidemment – si tu faisais ceci au lieu de cela… Pourquoi ne pas prendre exemple sur moi? Pourquoi ne penses-tu pas comme moi?» C'est comme si notre attitude habituelle était la suivante : « Mon grenier est plus plein que le tien. Pourquoi ne jettes-tu pas tout ce qu'il y a dans le tien et n'utilises-tu pas le mien à la place ? »

Ce refus d'accepter les autres, les circonstances, les choses, c'est ce que l'on appelle la *colère,* qui peut aller d'un léger ressentiment à la rage la plus folle. Mais si cette attitude est dirigée contre nous-même, nous l'appelons *culpabilité* – colère contre soi-même (1). Autrefois, je pensais que les gens froissés ou en colère se fâchaient soit contre eux-mêmes, soit contre les autres. Aujourd'hui, j'en suis arrivée à la conclusion que la colère se manifeste généralement dans les deux sens à la fois. Que nous appelions cela de la *colère contre soi,* un *refus d'accepter* ou de la *culpabilité,* nos théories quant à la manière d'en sortir sont généralement les mêmes : il faut faire davantage d'efforts.

Le problème est que si c'est là notre point de départ, nous sommes voué à être entraîné de plus en plus vite dans une série de cercles vicieux. Comme nous n'arrivons toujours pas à améliorer la situation, notre colère contre les autres ne fait que croître – et ils s'éloignent de plus en plus. Ou, au contraire, nous nous en voulons de plus en plus car nous pensons ne pas mériter mieux… pour le moment. Ensuite, notre colère contre nous-même, notre culpabilité, notre non-acceptation nous rendent encore moins efficace. C'est ainsi que nous focalisons encore plus notre attention sur ce qui nous fait défaut.

La douleur semble omniprésente, surtout celle de ne pas savoir ce qui ne va pas : « Qu'est-ce qui se passe ? Où ça ? Suis-je seul à savoir ? » Nous passons notre temps à nous torturer avec les mêmes questions : « Que m'arrive-t-il ? Qu'ai-je fait de mal ? »

Nous sommes constamment piégé dans des cercles vicieux et, pour nous sentir mieux, nous essayons le vieux « remède »

---

1. Voir l'ouvrage de Douglas H. Ruben : *Le Sentiment de culpabilité. Dix étapes pour s'en libérer* (Dangles, 1996).

consistant à exagérer nos succès – à notre intention et à celle des autres. Cependant, les autres s'obstinent à gâcher nos illusions et s'éloignent de nous en nous traitant de «vieux fou!».

Encore la solitude. Encore la douleur. De toute évidence, il faut un remède plus fort. Exagérer encore? Essayer encore?

26. Pas fou?

Nous traversons l'existence en essayant de trouver le moyen d'obtenir l'acceptation et la considération des autres. Nous sommes en effet tellement désireux de leur dire – pour qu'ils nous croient – que nous allons réellement bien, du moins que nous sommes bien à notre place dans le défilé. Mais comment savons-nous nous-même que tout va bien? En fait, nous pouvons choisir de le croire; voici la méthode que je suggère.

Il est indéniable que comparer ses observations avec celles des autres peut être bénéfique. Supposons que vous me demandiez si j'ai bien vu ce que vous avez vous-même vu là-bas. Si je vous réponds par l'affirmative et qu'en plus je n'en croyais pas mes yeux, vous allez sans doute pousser un soupir de soulagement. Vous vous direz qu'après tout votre vue et votre raison ne vous ont pas trahi. Je pense souvent que cet exemple en dit long sur ce que nous voudrions entendre plus souvent : simplement que nous n'avons pas perdu la raison.

Mais si nous allons plus loin, il est peut-être possible de réduire tout cela à simplement deux mots : «Appréciez-moi… Appréciez-moi… Appréciez-moi… Alors, j'aurai enfin la certitude que tout va bien.»

Nous passons notre temps à nous plaindre. Bien sûr, nous réussirons un jour. Nous leur montrerons «de quel bois nous nous chauffons» si l'occasion se présente, si le vent souffle du bon côté… Mais nous savons qu'il est plus facile de nous faire entendre des autres *s'ils y sont disposés*. Alors, nous pouvons nous détendre et chercher les mots qu'il faut. Et nous persistons, même si nous bégayons et bafouillons.

Combien auront la patience d'écouter assez longtemps pour qu'enfin nous arrivions à dire ce que nous avons à leur dire? Leur capacité d'écoute est-elle illimitée? Et, si c'est le cas, arriverons-nous à nous faire comprendre? C'est particulièrement difficile si l'on cherche à expliquer pourquoi on a fait une certaine chose la semaine passée et si, même alors, cela n'avait guère de sens.

27. Nous ne pouvons pas écouter si...

Comment amener les autres à nous écouter? Pour mettre toutes les chances de notre côté, il est préférable de commencer par les écouter *eux*. Mais comment se mettre dans l'état d'esprit permettant de le faire? Répondre à cette question est justement le propos de tout ce livre.

❏ Il est tout simplement impossible d'être à l'écoute si nos petites luttes pour nous y retrouver nous perturbent constamment.

❏ Il est impossible d'être à l'écoute si nous passons tout notre temps à lutter contre les sables mouvants en perdant constamment l'équilibre.

❏ Il est impossible d'être à l'écoute si nous sommes froissé et confus parce que nous croyons pouvoir comprendre les autres et être compris par eux.

❏ Il est impossible d'être à l'écoute si nous avons peur de ce que nous allons entendre, que nous «prenons les choses du mauvais côté», et si nous luttons contre la conclusion que nous devons être *mauvais*.

❏ Il est impossible d'être à l'écoute si nous avons l'habitude de nous sentir coupable, si nous avons l'impression que c'est notre faute si l'autre se culpabilise – et que nous devrions réellement être différent afin que les autres se sentent mieux.

Peut-être la route choisie importe-t-elle peu en réalité pour en arriver à se fermer aux autres. Mais une fois à ce stade, tous les problèmes prennent plus de relief.

Voici quelques-unes des conséquences du fait de ne pas être à l'écoute, ou de ce que l'on appelle *l'écoute sélective :*

– Les autres, se sentant dans l'incapacité de se faire comprendre, abandonnent. C'est ainsi que, involontairement, ils en viennent à ne plus vouloir nous écouter.

– L'autre résultat est que nous sommes alors dans l'obligation de nous fonder essentiellement sur des suppositions. Prendre nos décisions en nous fondant sur des théories peu flatteuses sur ceux dont nous croyons qu'ils nous font du mal est la plus sûre garantie d'échouer. «Pour me faire cela, on doit me détester... Je leur ferai voir, moi!» Mais notre attitude étant plus blessante, nous redoublons d'efforts. Nos suppositions, découlant du fait que nous sommes sourd aux autres, engendrent d'autres blessures et d'autres déceptions... d'autres rapports de force : «Je ne pourrai plus me regarder dans la glace si je me laisse marcher sur les pieds.»

28. A l'écoute des sentiments

Même si nous prenons conscience de l'importance de l'écoute, même si nous arrivons à nous persuader que nous pouvons réellement le faire, il reste un élément à prendre en compte : ne pas oublier que nos interlocuteurs attendent une réponse de notre part, montrant qu'ils se sont bien fait entendre. Plus précisément, ce qu'ils veulent c'est s'assurer que leurs sentiments ont été compris.

J'entends souvent dire : «Mon ami dit que je n'écoute pas. Mais si, je l'écoute, je peux même répéter exactement ses paroles.» Il me semble évident que cet ami aimerait avoir la preuve que ses sentiments ont été compris. Cependant, lorsque nous parlons, nous n'aidons pas toujours les autres à savoir ce que nous ressentons. Il nous arrive même, à l'occasion, de masquer délibérément nos propres sentiments.

Par exemple, une personne peut nous raconter une chose qu'elle a faite et, au milieu de son récit, faire une petite remarque indiquant ce qu'elle ressent – par exemple un sourire dissimulant sa douleur. En tant qu'auditeur, si nous ne prêtons pas attention à ce sentiment furtif et ne faisons aucun commentaire à son sujet avant d'évoquer tout le reste, toute la discussion peut s'arrêter. Surtout si le narrateur se montre habituellement susceptible, il risque de devenir sourd à notre discours s'il a l'impression que l'on a manqué de considération à son égard : « Ils se sont toujours moqués de ce que je ressentais, ils n'écoutent jamais... A quoi bon leur raconter quoi que ce soit ? »

Il est très important, pour assurer notre bien-être, de *pouvoir et de vouloir être à l'écoute des autres,* particulièrement en ce qui concerne leurs sentiments ; c'est un point sur lequel je tiens à insister. A mon cabinet, j'ai eu l'occasion d'écouter une femme dont la sécurité me préoccupait beaucoup. De toute évidence, elle avait la conviction de ne pas avoir besoin d'écouter. A ses yeux, il était clair que son entourage ne savait pas se faire comprendre d'elle. Le lecteur me permettra d'ouvrir une parenthèse pour faire un commentaire : très souvent, les gens agissent comme s'ils étaient omniscients ; à mes yeux, il s'agit d'une surcompensation de leur crainte du contraire. Mais, dans le cas de cette dame, il me semble qu'elle était réellement convaincue de détenir toutes les informations nécessaires et parfaitement en mesure d'émettre des jugements sur tout et tout le monde.

Alors que cette personne parlait depuis seulement une demi-heure, j'ai fait quelque chose de très inhabituel. Je l'ai interrompue en disant : « Je crois que vous êtes en grand danger. Votre entourage ne peut se sentir à l'aise s'il n'arrive pas à se faire comprendre de vous. »

Voici quelle fut sa réponse exacte : « C'est vrai. Dans sa prière de ce matin au petit déjeuner, mon mari a demandé à Dieu la permission de me tuer. »

29. Se faire comprendre les uns des autres

Avec ces esquisses, je me suis efforcée de donner une vue d'ensemble de la façon dont nous tentons de nous faire comprendre les uns des autres.

Le **premier cercle** montre que se faire comprendre – du moins dans une certaine mesure – peut permettre d'obtenir acceptation et considération, ce qui nous ramène à la compréhension mutuelle.

En ce moment, j'essaie de me faire comprendre de vous. Comme ce que je dis est étranger à tant de gens, je sais que je dois faire appel à ma plus belle plume. Mon but premier est en effet de comparer mes remarques avec vous et de voir si vous faites les mêmes observations que moi. Cela implique que je dois écrire lentement et aussi précisément que possible. Compte tenu de ce que vous avez lu jusqu'ici, vous savez que bien se faire comprendre, même dans une modeste mesure, reste rare.

Récemment, alors que je faisais la queue devant la cafétéria, quelqu'un me parla de mon livre : *Apprivoiser les sentiments négatifs* (2). La personne qui se tenait à côté de moi répondit immédiatement : « Je trouve que le titre n'a pas de sens... La plupart des gens que je connais essaient justement d'exprimer leur colère... La dernière chose dont ils ont besoin, c'est bien de la refouler, ou de croire que c'est mal. » Qu'étais-je censée répondre ? Compte tenu des circonstances, je ne pense pas que j'aurais pu dire quoi que ce soit pour prouver que je n'étais pas folle. Je n'ai donc rien tenté.

La troisième partie vous donnera une liste de suggestions permettant de mieux communiquer avec les autres, mais sans se mettre en colère. Toutefois, ce que je tiens à souligner ici, c'est que la plupart du temps il est peut-être impossible de se faire vraiment comprendre. A mon cabinet, il est évident que peu de gens se rendent compte à quel point c'est difficile. Par

---

2. InterEditions, 1995.

Se faire entendre sans se mettre en colère — Acceptation, considération

Ne pas se faire entendre — Colère

Se faire entendre par la colère — Isolement

exemple, j'entends parfois dire : « Je ne me répète jamais… Si on ne me comprend pas la première fois, eh bien tant pis ! »

En ce qui me concerne, j'ai remarqué que pour me faire comprendre – du moins raisonnablement – je dois essayer souvent et par des méthodes diverses. Il est évident que c'est à moi qu'il incombe d'apprendre à communiquer, le plus possible. Ecrire des livres et les publier n'est pas facile, mais on obtient des résultats. Et il est particulièrement agréable d'y arriver, même si ce n'est qu'occasionnellement, en certains endroits et avec un nombre limité de réactions.

Le **second cercle** montre ce qui se passe quand nous avons perdu notre équilibre. Au lieu d'accepter la responsabilité de chercher comment nous faire comprendre, nous nous mettons en colère après ceux qui ne nous écoutent pas. Bien entendu, cela n'aide pas. Ils gardent leurs distances et écoutent encore moins, ce qui suscite notre colère et nous restons pris dans ce cercle vicieux.

Par exemple, on entendra quelqu'un se plaindre de la sorte : « Je leur ai demandé je ne sais combien de fois de ne pas faire cela… Ils ne m'écoutent pas… Ils ne se rendent pas compte à quel point c'est important pour moi ! » Selon les dires de cette personne, se faire comprendre reviendrait à obtenir ce que l'on attend. Dans un monde de sables mouvants, il est évident qu'elle sera souvent en colère, brusquera les autres et justifiera sa colère s'ils font mine de s'éloigner d'elle – peut-être au point qu'il lui sera totalement impossible de communiquer avec eux.

Le **troisième cercle** montre que nous pouvons toujours nous faire comprendre si nous nous mettons suffisamment en colère. En « jetant toutes nos forces dans la bataille », nous avons au moins une chance d'obtenir des résultats : « Ils peuvent compter sur moi. Pas question de s'en tirer comme ça ! Ils ont intérêt à filer doux, sinon… »

Mais à chaque fois que nous avons recours à la colère pour nous faire comprendre, cela revient en quelque sorte à poignarder les autres en plein cœur. Certes, le message passe, mais le prix à payer est extrêmement élevé : c'est l'isolement.

30. Le piège de la colère

Voyons comment le piège de la colère nous emprisonne (schéma ci-contre) :

❏ Des **observations erronées** : nous posons le pied dans le piège si nous ne nous rendons pas compte de la fragilité des jokers. Nous persistons à nous dire que nous avons encore besoin d'aide – de coopération, d'acceptation, de considération.

❏ Des **attentes erronées** : compte tenu de nos observations erronées, nous attendons obstinément de l'aide… pour, en fin de compte, n'essuyer que des déceptions.

L'issue : voici comment sortir du piège. A chaque fois – et ce doit être systématique – que nous n'obtenons pas ce que nous espérions, nous pouvons sortir du piège en nous demandant : « En quoi mes observations m'ont-elles porté à croire que je pouvais attendre une chose alors que j'en obtenais une autre ? Où me suis-je trompé ? » A partir du moment où nous décidons de rectifier nos observations, tout est bien différent. Une fois que nous avons ouvert les yeux, nous pouvons mieux définir les problèmes, participer au défilé, vérifier et revérifier nos observations. Sorti du piège la tête haute, nous avons désormais une position de départ qui nous permet de faire face aux problèmes de plus en plus efficacement.

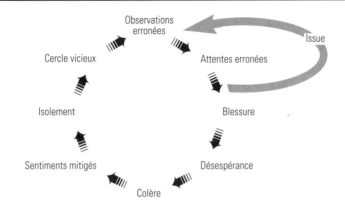

❐ Blessure : si nous restons pris dans le piège, avec l'abso-lue certitude que notre jugement est correct, que nous devrions obtenir encore de l'aide (de la coopération, de l'acceptation et de la considération), cela revient à garder les yeux à demi fer-més, la tête baissée et à nous entêter à nous persuader qu'il est tout à fait justifié que nous nous sentions blessé.

Lors d'un atelier, un homme m'a demandé comment éviter de se sentir blessé : « Cela me prend d'un seul coup… La dou-leur semble venir de nulle part. » J'étais d'accord sur le fait que c'est ce qui semble se produire. Cependant, j'ai également pré-cisé que selon moi la douleur vient de nos attentes. Il a déclaré qu'il était conscient de l'irrationalité de cette blessure en don-nant l'exemple suivant : « Je me sens blessé tous les après-midi parce que ma femme refuse de m'ouvrir la porte lorsque je rentre du travail. Je sais qu'elle se fait du souci pour moi et ne veut nullement me blesser. Mais pourquoi ne peut-elle pas venir ouvrir quand je rentre à la maison ? »

C'était un peu comme s'il avait dit : « J'ai choisi d'avoir mal si ma femme ne fait pas ce que je la prie de faire. Je ne pense pas que ce soit trop lui demander que de mettre une minuterie en route tous les jours afin d'être dans le couloir lorsque je rentre. Tout ce qu'elle aurait à faire, c'est tourner la clef en m'entendant monter l'escalier. »

Ce qui est intéressant, c'est que cet homme pouvait choisir d'être blessé si sa femme ne faisait pas une multitude d'autres choses lors de son retour à la maison – pour avoir la «preuve» qu'elle l'aimait. Toutefois, ce qu'il ne voyait pas, c'est que sa femme doit aussi garder son équilibre à sa manière. S'il choisit de se sentir offensé en raison de ses observations erronées de la manière dont elle devrait se comporter, il ne se départira jamais de cette attitude.

❐ **Désespérance :** à ce stade, lorsque nous tournons en rond dans la nasse, nous prenons conscience qu'aucun stratagème ne nous permet d'obtenir l'aide – la coopération, l'acceptation, la considération – que nous attendons. Nous sommes au désespoir. Nous avons tout essayé : la gentillesse comme la méchanceté, rien n'y fait. Impossible de faire perdre leur équilibre aux autres. Cependant, le désespoir est extrêmement douloureux. Et ce n'est que trop souvent que nous préférons mal agir pour obtenir le pouvoir que ne rien faire du tout.

❐ **Colère :** la colère fait partie de ces réactions malheureuses ; à long terme, en effet, c'est nous-même que nous blessons ainsi. Même si nous nous contentons de mûrir notre vengeance en silence, nous pouvons être tenté de nous croire plus fort qu'en ne faisant rien. Mais si, au contraire, nous ne tenons pas à garder le silence et décidons de faire savoir aux autres que nous sommes en colère – parce qu'ils ne nous ont pas aidé – nous établissons une fois de plus un rapport de force.

Nous croyons que plus nous nous montrons virulent, plus notre action sera efficace. Mais obtient-on réellement le pouvoir de la sorte ? Si vous regardez le haut du schéma – les *observations erronées* – vous remarquerez que ce que nous essayons d'obtenir c'est davantage d'aide : de coopération, d'acceptation, de considération. Mais nous voulons que tout cela nous soit accordé de plein gré. Cependant, il ne faut pas compter l'obtenir de plein gré par la colère.

Pire, peu importe dans quelle mesure nous avons recours à la colère, nous ne pouvons jamais avoir la certitude que les autres nous aident parce que nous comptons effectivement pour eux... ou bien parce qu'ils craignent notre colère. Il est donc impossible de jouir pleinement de ce que nous obtenons.

❐ **Sentiments mitigés :** nous avons piqué notre colère et il le fallait bien, non ? Nous ne pouvions tout de même pas nous laisser marcher sur les pieds ! Mais pourquoi cela ne va-t-il pas mieux après coup ? Pourquoi nous sentons-nous encore plus mal ? Est-ce si douloureux de voir les autres se dérober en nous voyant ? Il semble que tout ce que nous avons obtenu, c'est une preuve de plus de notre « malfaisance ».

❐ **Isolement :** l'expérience m'a montré qu'en tournant en rond dans le piège, nous avons la certitude de nous retrouver dans l'isolement. Peu importe comment, si ce sont les autres qui nous abandonnent ou le contraire, ou encore si cet isolement est physique ou mental. Quoi qu'il en soit, à terme nous nous retrouvons seul, rejeté, exclu.

Si nous revenons au sommet du schéma, nous constatons que nous avons été pris au piège en raison de nos observations erronées – selon lesquelles nous avons droit à de l'aide, de la coopération, de l'acceptation et de la considération.

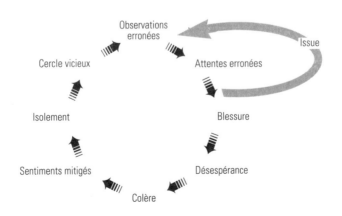

Une fois que nous avons pris l'habitude de croire cela et de tourner en rond dans ce piège pour arriver à l'isolement, les choses vont de mal en pis. C'est alors que la douleur devient intolérable que l'alcool, la drogue – voire le suicide – risquent d'intervenir. Ou bien nous nous réfugions dans un monde de fantasmes. Ce ne sont pas les «remèdes» qui manquent, et c'est heureux, car nous en recherchons sans cesse de nouveaux quand les autres ont échoué.

L'un des plus répandus vient de la croyance qu'il est possible de faire abstraction de nos sentiments pour éviter la douleur. C'est un peu comme si l'on posait un bouchon empêchant les sentiments de passer et, par conséquent, de nous blesser. Mais le problème est qu'en nous fermant aux désagréments nous nous coupons également de certains côtés exaltants de la vie.

Il n'est pas rare que les personnes qui viennent me consulter déclarent : «Tout ce que je veux, c'est être heureux.» Dans ce cas, je leur conseille généralement de consacrer plus de temps à elles-mêmes, et non aux *méchants* qui, de toute évidence, ne manifestent aucune gratitude. Le plus souvent, la réponse est la suivante : «Mais je ne sais pas quoi faire!»

Si quelqu'un devient suffisamment indifférent, c'est la seule réponse qu'il sera en mesure de donner. Il faut cependant payer un prix terriblement élevé pour cet engourdissement affectif. Premièrement, nous ne nous rendons pas compte que ceux qui nous entourent fonctionnent probablement au niveau affectif. Lorsqu'ils parlent, il nous est difficile de leur montrer que nous les avons bien compris. En réalité, nous n'avons pas vraiment prêté attention à leurs sentiments et notre réponse est purement factuelle.

D'autres, non seulement ne se sentent pas à l'aise si nous ne prêtons pas attention à leurs sentiments, mais nous font courir le risque de trop bien faire passer le message... par un coup de poignard en plein cœur, ou du moins par des piques.

Si nous taisons nos sentiments surtout pour éviter le danger, celui-ci ne fait qu'augmenter en même temps que diminue notre engourdissement. Que les autres viennent à demander comment nous nous sentons – peut-être veulent-ils réellement le savoir – et nous sommes dans l'incapacité de répondre, car nous ne le savons pas vraiment.

Cependant, il y a un autre prix à payer pour cette «déconnexion» : l'absence de sentiments nous prive d'indications. Peut-être les mots que nous utilisons pour en parler ne sont-ils que des tentatives de résumer ce qui nous arrive, extérieurement et intérieurement. Mais si nous ne reconnaissons pas nos sentiments, les messages qu'ils transportent nous échappent. Par exemple, que se passe-t-il si l'on nous crie : «Attention, sauve qui peut!» alors que nous avons débranché le cordon nous reliant à la réalité, aux sentiments?

Par l'isolement, nous essayons d'éviter la désapprobation des autres. Nous ne pouvons même plus tolérer ne serait-ce que l'idée de faire partie des *méchants.* Autrement dit, nous devons impérativement plaire aux autres – ce qui est évidemment impossible – pour nous convaincre que nous méritons leur coopération. Alors, il nous est difficile d'admettre la réalité, y compris celle émanant de nous-même. Pourtant, cela ne fait qu'engendrer plus de douleur et de confusion.

A un certain point, nous devons nous rendre compte qu'il n'existe aucun refuge sûr. Nous en sommes arrivé à tellement craindre même la plus petite critique que nous nous retrouvons pratiquement paralysé. Dans notre terreur d'un isolement excessif, nous pouvons être forcé de sortir de cette quasi-paralysie pour essayer de revenir à notre ancienne attitude : tenter la gentillesse ou la méchanceté. Pourtant, nous savons d'avance que ces efforts sont voués à l'échec. Mais nous savons également que les attaques et les contre-attaques menées dans le cadre de nos rapports de force prouvent que nous ne sommes pas seul... Quelle que soit la confusion qui pourrait en résulter, c'est mieux qu'un isolement trop grand.

Avant de sortir du piège, je voudrais faire un commentaire sur la croyance répandue qu'il peut être utile d'extérioriser notre colère. Peut-être avez-vous remarqué que je n'ai pas fait mention du besoin de décider s'il était mieux d'enterrer sa colère ou de l'exprimer. Dans ce livre, je m'adresse au schéma de pensée auquel nous avons recours pour la justifier. Ce que je suggère, c'est que nous pouvons prendre une autre habitude à la place : nous voir les uns les autres luttant constamment afin de garder l'équilibre. Il apparaîtra alors clairement qu'*aucun de nous ne mérite la colère des autres.*

En croyant vraiment notre colère justifiée, nous ne faisons que nous blesser continuellement. Cependant, je pense que nous nous faisons encore plus de mal si nous acceptons la théorie selon laquelle il est préférable d'extérioriser notre colère.

Voici un exemple de ce je crois être une mise en pratique excessive de cette théorie. J'entends sans cesse parler de groupes de femmes se réunissant dans le seul but de proférer des obscénités à l'unisson contre les hommes, qu'elles considèrent comme des oppresseurs. Peut-être y a-t-il également des groupes d'hommes faisant quelque chose de semblable, mais je n'en ai pas entendu parler.

Je ne vois là rien d'autre qu'un relâchement de tension physique, mais qui n'est que temporaire. Je ne crois pas que cela apporte un soulagement quelconque si l'on persiste à justifier sa colère et à se fâcher sans cesse.

Peut-être suis-je la seule personne au monde qui soit sceptique quant à la théorie selon laquelle l'extériorisation de la colère est bonne. En fait, selon moi la seule façon dont la colère peut œuvrer dans notre sens, à long terme, c'est si notre but est de nous isoler.

L'un des pires mythes concernant la colère est, de mon point de vue, que son extériorisation permettrait de soigner la dépression (engourdissement). Il n'est pas rare que des amis donnent ce genre de conseil : «Allons, secoue-toi, n'aie pas peur de les envoyer promener... Il faut mettre les pieds dans le plat !»

Tout ce que j'y vois, c'est la possibilité de changer de côté dans un rapport de force. Autrement dit, les cartes changent de mains. Le « vainqueur » peut-il vraiment profiter de ce retournement de situation... et de la crainte d'être à son tour renversé à tout moment ?

De toute évidence, ceux qui conseillent aux autres d'extérioriser leur colère ne comprennent pas que l'on puisse avoir une bonne raison de ne pas le faire. Ils ont seulement constaté que cela ne marchait pas, du moins pour eux et à long terme. Plus la colère s'accumule, plus l'explosion est puissante et plus grand est le danger.

Mais revenons à la colère en tant que « remède » à la dépression. Il est facile de comprendre pourquoi, extérieurement, on peut avoir l'impression que si une personne est déprimée la colère sera stimulante. C'est ainsi que se répand le préjugé selon lequel colère et dépression sont opposées. Mais l'observation m'a montré qu'elles sont au contraire indissociables. Je vois parfois des gens si déprimés qu'ils me disent que la colère est le seul sentiment qu'ils arrivent à ressentir. Ainsi, pour combattre leur engourdissement total, ils attisent leur colère... puisque c'est mieux que de ne rien ressentir.

Je peux dire que rien, y compris la dépression, ne s'améliore quand on extériorise sa colère, si ce n'est de soulager *temporairement* la tension physique. Cependant, attiser les feux de paille allumés par la colère peut ne pas valoir la peine. En effet, dès que l'on tourne le dos, ils ont tendance à s'étendre et la vigilance nécessaire pour se protéger ne fait qu'accroître la tension.

Pour la soulager, on ne fait qu'extérioriser davantage sa colère, et plus fréquemment.

On me demande souvent si la colère est une bonne incitation à faire quelque chose que, sans elle, on ne ferait jamais. A cela je répondrai qu'il me semble extrêmement improbable que ce que l'on fait sous le coup de la colère puisse être réellement bénéfique à long terme.

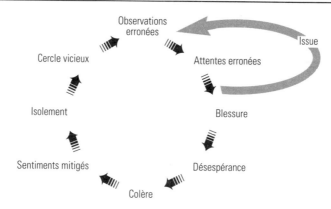

❐ **Cercle vicieux :** j'utilise cette expression pour montrer que ce piège est bien un piège. Il est simplement impossible de faire des observations plus justes afin d'en sortir si l'on est dans l'isolement. Cependant, sans cela il n'est pas possible de sortir du piège et l'on reste isolé. Qui osera nous dire la vérité si elle nous met en colère ? Qui osera rester à proximité si l'on passe alternativement de la gentillesse à la colère ? Comment agir pour éviter la colère des autres ? Qu'est-ce qui ne va pas ?

Comme on le voit, il est facile de se laisser piéger par ce cercle vicieux pour arriver à chaque fois au même point : l'isolement. Toutefois, si l'on tient compte de ma suggestion, on se rend compte qu'il existe tout de même une issue.

31. Fin de la première séance de conseil

Si vous avez entendu tout cela dans le cabinet de conseil, sans doute avez-vous envie de faire une pause. Les premières séances se terminent généralement peu après la présentation du piège de la colère. Dans la seconde partie de ce livre, vous en apprendrez plus sur les questions que j'entends généralement lors des séances suivantes.

Dans la première séance j'évite volontairement certaines questions, en particulier celles qui commencent par : « Que faire et quand ? » La raison en est que je veux d'abord montrer qu'il est impossible d'obtenir des réponses satisfaisantes à ces questions tant que l'on n'a pas rompu avec les rapports de force. Même en personnalisant ma présentation en fonction de chacun au lieu de le faire comme dans ce livre, il subsiste probablement des lacunes.

Parfois, avant la fin d'une séance, j'évoque quelques visualisations à fin de relaxation.

Je suis consciente qu'il n'est pas facile d'absorber et de trier tout ce que je viens de présenter. Certains lecteurs se sentiront peut-être même dépassés. Nous prenons alors généralement un rendez-vous pour la semaine qui suit. Avant de passer à la seconde partie de ce livre, peut-être devriez-vous, vous aussi, attendre une semaine.

Des solutions efficaces : de la frustration coupable à la compréhension de soi

1. Séance de suivi, commentaires et questions

Dans cette seconde partie, je vais évoquer les séances de suivi telles qu'elles se déroulent dans mon cabinet. Une fois de plus, j'écoute chacun, tête baissée, pendant environ deux heures.

Une réaction : «En arrivant ici, j'étais vraiment au plus bas; j'étais un exclu... et, finalement, j'ai rebondi!»

Le plus souvent, ce que j'entends c'est plutôt : «Ça va mieux», exprimé de manières les plus diverses.

Ce qui me semble intéressant, c'est qu'il est rare que quelqu'un puisse vraiment expliquer comment on arrive à des résultats aussi différents. Tout ce dont je suis certaine, c'est que le mode de pensée de chacun a changé. Il n'est plus du tout question du : «J'ai tout essayé!»

De toute évidence, il suffisait, dans un premier temps, de penser différemment pour emprunter une autre direction. C'est là que l'on a le plaisir d'être récompensé. Je pense que chacun apprend simplement à être au moins un peu plus tolérant vis-à-vis de soi-même et des autres. Par la suite, quoi que notre consultant fasse, ce sera forcément un peu moins stressant, et les autres se sentiront un peu mieux en sa compagnie.

Pour avoir le plaisir d'emprunter une nouvelle direction après s'être trouvé dans un cul-de-sac, il n'est pas nécessaire de faire beaucoup d'efforts. Prendra-t-on la mauvaise route par la suite? Sans doute parfois. Mais la différence est que chacun aura appris, par sa propre expérience, qu'il peut se relever après être tombé et se «remettre sur les rails».

Lors d'une première séance, il n'est pas rare que quelqu'un répète sans arrêt quelque chose comme : «Je sais que je ne peux pas changer les autres, la seule personne que je puisse changer, c'est moi-même.» Cependant, lors de la deuxième séance, cette personne se rendra compte qu'elle aura dit cela pour justifier sa colère *contre elle-même.* Elle constatera que c'est ce qui l'aura conduite à se considérer comme une «mauvaise personne», à chercher à prouver ce qu'elle n'avait pas à prouver, d'où un renforcement de son sentiment négatif...

Hier soir, un homme m'a déclaré avoir pris une grande décision : il s'était en effet débarrassé de son couteau, de sa batte de base-ball et de son chapeau de feutre noir – celui qu'il portait au ras des yeux lors de la séance précédente. Tout au long de la première rencontre, il avait passé son temps à déclarer qu'il se considérait comme une sorte d'ogre. Il a dû être extrêmement choqué en ayant un aperçu de cette vérité : *il était le seul à penser qu'il était mauvais,* et c'est ce qu'il croyait devoir faire pour prouver le contraire qui était à l'origine de son problème.

2. S'accepter soi-même

Certains me demandent ce qu'ils doivent faire au cas où ils n'arriveraient pas à se persuader qu'ils font constamment de leur mieux. Quand j'entends poser cette question, je me rappelle que nous avons tous choisi ce que nous croyons, pour des raisons qui nous sont personnelles. Tout ce que je peux faire dans ce cas, c'est montrer que l'on obtient des résultats différents selon ce que l'on choisit de croire. En outre, je dois constamment répéter que je ne parle pas de faits.

Si c'est vous qui avez de la difficulté à accepter que vous faites constamment du mieux que vous pouvez, dites-vous que vous êtes très bien là où vous êtes en ce moment précis. Puisque vous devez disposer d'un point de départ, eh bien vous y êtes. De toute évidence, *vous êtes au bon endroit et au bon moment.*

S'accepter soi-même, c'est cela. Et une fois que vous avez trouvé ce point de départ, vous pouvez aller dans la direction choisie.

Vous pouvez avoir l'impression, par exemple, qu'il est facile d'osciller entre accepter le fait que vous faites de votre mieux et l'opposé. Dans les deux cas, vous constaterez que vous acceptez l'endroit où vous vous trouvez comme celui qui vous convient le mieux à ce moment précis. Vous êtes la seule personne à faire ces choix et à pouvoir décider des résultats que vous préférez.

Peut-être vous demanderez-vous : «Mais si je me trompe, si je me dis que je fais de mon mieux alors que ce n'est pas vrai?» Vous pouvez choisir de croire cela si vous le souhaitez, ou bien accepter que ce choix est bon pour vous. Mais je pense qu'il est utile de vous rappeler régulièrement que ce n'est pas bien grave, car il ne s'agit pas de faits réels.

Peut-être vous dites-vous que vous êtes égoïste pour accorder autant d'importance à votre équilibre personnel. Vous pouvez choisir de le croire si vous le désirez. En ce qui me concerne, je crois que si je garde l'équilibre et n'ai pas besoin de m'appuyer sur les autres, je suis dans la position idéale pour me montrer coopérative et pleine d'attentions, c'est-à-dire tout le contraire d'égoïste.

Pat Rooney, coauteur avec moi de plusieurs livres, n'acceptait que difficilement l'idée que nous faisons tous de notre mieux. Lorsque nous organisions des ateliers ensemble, il mettait en revanche l'accent sur un point que j'oubliais, quant à moi, systématiquement : il affirmait s'être finalement rendu compte que ses difficultés antérieures à croire que nous faisions tous de notre mieux venaient du fait qu'il pensait que ce n'était pas le cas de son ex-épouse. Selon lui, de toute évidence elle ne faisait pas de son mieux pour lui. Il avait fallu un certain temps à Pat pour se rendre compte qu'elle devait d'abord faire de son mieux *pour elle-même* afin de sauvegarder son propre équilibre.

Le problème de Pat venait du fait qu'il essayait d'être agréable aux autres depuis si longtemps qu'il supposait que tout le monde en faisait autant. Cependant, son ex-épouse ne faisait sans doute pas assez d'efforts pour lui plaire, à lui.

3. La colère des autres

Beaucoup de gens me demandent comment faire face à la colère des autres. En fait, je pense que la chose la plus importante que j'aie apprise de la colère telle que je la perçois, c'est qu'il est facile de voir quand quelqu'un est pris à ce piège. Cela m'aide à prendre une profonde inspiration et à garder mon propre équilibre. Ensuite, je peux écouter une personne en colère sans problème, que sa colère soit dirigée contre moi ou contre quelqu'un d'autre. En général, ce que je perçois c'est sa douleur lorsqu'elle constate que le monde refuse d'être différent, plus conforme à ce que l'on attend d'elle.

Vous vous souvenez peut-être que quand je qualifie la colère de «coup de poignard dans le cœur», j'entends par là une façon d'attirer l'attention de l'autre quand on se sent vraiment désespéré. Pour cette raison, je pense qu'**il est extrêmement important de savoir écouter une personne en colère.**

Mais que faire après en avoir ressenti le choc? Pour trouver la réponse à cette question, il me semble judicieux d'avoir conscience de notre état d'esprit après avoir «lâché du lest».

La plupart du temps, je pense que l'on préfère être laissé seul afin de faire le point sur ses sentiments. Autrement dit, on désire se sentir à l'abri des autres, perçus comme envahissants, incitateurs ou inquisiteurs. Cependant, on se trouve alors face à un conflit. En même temps, on peut avoir envie d'avoir quelqu'un sous la main pour ne pas se sentir complètement isolé.

Il est facile de savoir ce qu'il ne faut pas faire en réaction à la colère d'un autre. Par exemple, on imagine sans peine le danger encouru par cette femme : «Quand mon mari crie, cela me fait rire!» De même, il ne sert à rien à la personne visée par la colère de se mettre sur la défensive et de répondre en énonçant des faits et des détails.

Prenons l'exemple d'un mari jaloux. Peut-être, après une absence de son épouse, se plaindra-t-il en ces termes : «Je ne peux plus supporter cela... Je ne suis pas assez bien pour toi... Tu serais capable de me quitter pour n'importe qui. Tout ce que tu cherches, c'est une occasion de partir... Tu me fais du mal à chaque fois que tu peux... Tu es exactement comme ta mère [sœur] !» Il est clair que cet homme ne fait rien pour faciliter les choses et ne pas se retrouver seul. Quant à son épouse, il ne lui servira à rien de répondre en énonçant des faits. «Je suis allée au supermarché parce que nous n'avions plus de...»

L'homme ne parlant que de lui-même et de ses propres peurs, les faits énoncés par sa femme ne le rassureront en rien. Sans doute pense-t-il : «Elle n'a plus guère de considération pour mes sentiments... Il faut que je la surveille de plus près, elle essaie constamment de s'échapper.» A la suite de chaque harangue, la femme étant de plus en plus perturbée et de moins en moins encline à donner à son mari les assurances qu'il demande, celui-ci se fait de plus en plus pressant. A ce stade, il se rendra nettement compte que son épouse s'éloigne réellement de lui, même si ce n'est que mentalement.

Que se passe-t-il si l'épouse se sent, quant à elle, suffisamment bien dans sa peau pour prendre sur elle, sachant qu'elle fait de son mieux, et l'écoute ? Tout est différent ; elle peut alors se rendre compte que son mari est une fois de plus pris au piège de sa colère. Elle se rappelle alors qu'il fait réellement de son mieux à ce moment précis. Lorsqu'elle répond, peut-être beaucoup plus tard simplement parce qu'elle comprend ses sentiments, tout échange ultérieur a au moins une chance d'être productif.

Ce que je viens de décrire ici, c'est un rapport de force très courant dans les couples. J'espère que vous comprenez que ce sont *les deux membres* du couple qui ne font que perpétuer cette situation. *Il suffit que l'un des deux change pour en sortir.*

Une épouse m'a posé la question suivante : « N'ai-je pas le droit de me défendre ? » Bien sûr qu'elle le peut, et même de différentes manières. Mais pour être efficace, elle ne doit pas essayer de communiquer avec son mari tant qu'il est trop obnubilé par ses propres terreurs pour l'écouter. Alors que faire pour être efficace ?

La première étape, selon moi, consiste à garder son propre équilibre. Autrement dit, elle doit éviter de paraître sur la défensive – en déséquilibre. Pour cela, elle doit garder constamment à l'esprit que personne ne peut jamais savoir quelles décisions sont les plus adaptées à sa situation à elle et à un moment donné. Autrement dit, elle n'a pas à s'excuser, à avoir honte ou à riposter, simplement parce qu'un autre pense le contraire et insiste pour le lui faire savoir.

En ce qui concerne la deuxième étape, quoi qu'elle fasse elle sera probablement plus efficace simplement parce qu'elle sera en équilibre dès le départ.

4. L'expérience d'un couple

A mon cabinet, une femme se lamente en parlant de son mari : « Comment peut-il prétendre m'aimer, alors qu'il dit que me parler c'est la même chose que parler à un mur ? » Elle venait de me raconter que son mari passait tellement de temps dans les bars qu'il n'était que rarement à la maison. Et quand il y était, elle avait peur de dire quelque chose susceptible de le heurter et qu'il reparte. Aussi s'efforçait-elle toujours de rester le plus discrète et silencieuse possible.

Une autre fois, son mari étant présent dans mon cabinet, il commença par dire ceci : « J'ai toujours été ainsi. La seule chose que je ne peux pas supporter, c'est de voir une femme pleurer. » Il expliqua alors que bien que n'étant pas un grand buveur, il préférait passer ses soirées dans les bars à parler à des étrangers que chez lui où sa femme pleurait parce qu'elle voulait qu'il lui parle.

Tous deux étaient venus en consultation séparément, lorsque le mari me dit : « Nous avons davantage parlé au cours de la semaine écoulée que durant les dix ans de notre mariage. » Qu'est-ce qui a fait la différence ? Il n'est pas difficile de voir qu'un tel changement peut se produire instantanément si chacun se sent suffisamment bien dans sa peau pour écouter l'autre. Il n'est plus nécessaire de « prendre les choses pour soi » et de vivre uniquement en fonction d'une interprétation personnelle des événements.

Voyons cela de plus près :

– Pour le mari, la peur qu'éprouvait sa femme de lui adresser la parole était, de toute évidence, une forme de rejet, sa conclusion étant qu'il devait être, lui, *mauvais*. La voir pleurer n'était qu'une « preuve » flagrante de sa propre « méchanceté ». Il se sentait donc dans l'obligation de se tenir à l'écart.

– Quant à elle, elle voyait dans le fait que son mari ne voulait pas rester en sa compagnie une « preuve » de sa propre « méchanceté ». Ne voulant pas courir le risque d'être confrontée à davantage de « preuves », elle aussi se sentait obligée de se tenir à l'écart.

La situation dans laquelle ils se trouvaient les rendait aveugles au fait que le comportement de l'autre ne reflétait nullement un manque d'intérêt, mais tout le contraire. Le simple fait de se voir l'un l'autre s'efforçant de garder l'équilibre leur a montré que c'était leur propre interprétation de la « preuve qu'ils étaient *mauvais* » qui était à l'origine du problème.

5. Test

Tout ce dont vous avez besoin pour faire ce test, c'est d'une feuille de papier, d'un crayon et de toute votre imagination.

Supposons que vous soyez susceptible et que le comportement d'une certaine personne vous froisse.

Première étape : dressez une liste d'explications la plus longue possible quant au comportement de l'autre personne : «Elle a dû être vexée par ce que j'ai dit sur son petit ami... Elle m'a toujours détesté et j'ai été trop bête pour le voir... La plupart du temps, elle ne sait même pas ce qu'elle fait!»

Deuxième étape : choisissez l'explication qui vous semble la plus juste, puis décidez de la marche à suivre si elle s'avère exacte.

Troisième étape : relisez les autres explications de votre liste, puis examinez ce que vous comptez faire pour chacune si toutes s'avèrent fondées.

Quatrième étape : rappelez-vous l'histoire de l'homme qui venait d'acheter une nouvelle voiture (paragraphe 10). Par la suite, lorsqu'on a jeté des pierres sur sa voiture, il s'est rendu compte de son erreur : le petit garçon ne lui en voulait nullement, mais appelait à l'aide.

Question : quand l'homme a appris qu'il se trompait, qu'est-il advenu de sa colère? Si elle a disparu, cela s'est-il produit rapidement?

Cinquième étape : dans le paragraphe 11, il est question d'une femme contrariée quand son amie ne venait pas passer un moment chez elle. Elle était arrivée à la conclusion que l'amie ne s'intéressait pas à elle, et ce n'est que plus tard qu'elle avait appris que la dame en question ne pouvait plus monter les escaliers.

Question : une fois au courant de son erreur d'interprétation quant au comportement de son amie, qu'est-il advenu de sa colère? Si elle a disparu, cela s'est-il produit rapidement?

Sixième étape : demandez-vous si, en vous efforçant continuellement de faire des observations les plus justes possible, vous pensez que les vexations et la colère viennent du fait que nous ne comprenons pas – et ne pouvons pas le faire – ce qui se passe réellement?

6. Une expérience

Nombreux sont ceux qui résument ce qu'ils ressentent en disant se *sentir perdus*. C'est justement ce que m'a dit un homme hier soir. Voici, brièvement, la situation dans laquelle il se trouve :

Il s'exprime avec une aisance exceptionnelle et n'a montré aucune difficulté à aborder tous les aspects de ce que nous avons vu jusqu'ici. La consultation a duré quatre heures pleines et, au moment où j'écris ces lignes, j'ai hâte de savoir comment il réagira lors de la prochaine.

Approchant la trentaine, il est d'une beauté peu commune. Il a une peur bleue de ne pas être accepté et n'a pu venir sans prétexter que sa visite était due aux problèmes de son fils à l'école. Il a lu de très nombreux livres de thérapie personnelle et adhère aux Alcooliques anonymes – tandis que sa femme fait partie d'un groupe Al Anon (1). Il est actuellement plutôt amorphe et s'efforce de le rester pour échapper à ses tracas. Quant à sa femme, elle déplore son insensibilité.

Il n'ose pas dire la vérité de peur que l'on se mette en colère contre lui. Il se sent constamment si déprimé qu'il donne l'impression d'avoir peur de ne pas pouvoir supporter un revers de plus. Il travaille actuellement pour son père, dont l'alcoolisme le préoccupe. Cependant, il craint tout autant de ne pas réussir ailleurs. Il a recherché pendant de nombreuses années, par tous les moyens et partout, un système de croyance susceptible de soulager son désespoir.

Avant d'aller trop loin, il s'efforçait de soulager une tension devenue pratiquement intolérable. Il sourit rarement et n'ose pas se regarder dans une glace de peur de voir une personne irréelle. Il ressent un certain détachement vis-à-vis de tout, à l'exception de sa petite fille âgée d'un an.

---

1. Al Anon est une association américaine d'aide aux personnes dont la famille est victime de l'alcoolisme (N.d.T.).

Il est persuadé d'être mauvais depuis l'âge de 10 ans environ. C'est à ce moment qu'il a pris conscience d'une présence sombre qui semble être entrée en lui et ne l'avoir jamais quitté – un monstre ? un poison ? Comme il ne trouve nulle part la compréhension souhaitée (ce qui lui manque le plus selon lui), il a constamment le sentiment d'être exclu. Pour cette raison, il se montre de plus en plus conformiste afin d'obtenir l'acceptation et la compréhension qui, pense-t-il, devraient le rendre heureux. En fait, il enrage secrètement de son incapacité à améliorer son sort. Aussi passe-t-il beaucoup de temps à fantasmer sur un pouvoir illusoire : « Je saurai vous obliger à me respecter… »

En dépit de ses tentatives pour rester indifférent, sa douleur est si intense qu'il a beaucoup de difficultés à vivre normalement. Il est presque totalement convaincu que quelque effort qu'il fasse, il ne peut pas fonctionner normalement et ne pourra jamais se sentir mieux.

C'est avec tristesse que je constate que plus il pense à ce qui lui manque – l'aide et la compréhension qu'il recherche depuis si longtemps – plus les échecs sont inévitables. Beaucoup de gens auraient tendance à mettre l'accent sur sa colère et à l'inciter à l'exprimer. L'expérience m'a cependant montré que ce n'est absolument pas nécessaire. Si les gens voient le monde d'aujourd'hui sans se fâcher, leur colère reflue à l'arrière-plan, et je constate souvent qu'alors elle disparaît. Je remarque que pour la justifier il faut y réfléchir, même si elle est déjà ancienne, et cela peut tout changer instantanément.

Ce que je m'attends à entendre dire par mon client lors de la visite de suivi, c'est que sa propre expérience lui a confirmé à quel point il se faisait du mal : il se concentrait sur ce qui lui faisait défaut, constamment en lutte pour obtenir aide et compréhension. *Il s'est ainsi mis dans l'incapacité de tirer parti de ce qu'il possédait déjà.* Incapable de trouver un point de départ, il ne pouvait donc pas agir efficacement. C'est ainsi qu'il a préféré se replier de plus en plus sur lui-même au lieu de courir le risque de connaître d'autres échecs.

Deux semaines plus tard :

Je viens de terminer une séance de suivi et je me sens débordée car je dois récapituler une séance de quatre heures. Alors, je parlerai plutôt de moi. Tout d'abord, je trouve qu'il est toujours passionnant de voir quelqu'un en déséquilibre se retrouver dans une situation totalement différente. Cet homme ayant mentionné un certain nombre de fois mon ouvrage *Apprivoiser les sentiments négatifs,* je me rends compte à quel point il est important d'avoir de la lecture sur le sujet afin de donner plus de poids aux enseignements de la première séance.

La première chose que cet homme a dite était que ses rapports avec son fils avaient complètement changé (en fait, c'était un problème scolaire qui l'avait incité à venir en consultation, mais il n'en avait pas fait mention). Il m'a également affirmé avoir réduit sa consommation de caféine et de sucre. Au bout d'une semaine de sevrage, il déclarait se sentir beaucoup plus calme et s'en félicitait.

Il est vrai qu'il semblait aller beaucoup mieux. Je pense qu'une fois cette tension apaisée, il était davantage à l'écoute. Se faire comprendre de son entourage ne paraissait plus aussi insurmontable. Il pouvait, du moins, obtenir un petit peu plus de compréhension.

Trois jours plus tard :

Je pense toujours à cet homme. Tout ce que je peux écrire ici n'est qu'un pâle reflet de ce que je ressens, tellement j'ai conscience de la difficulté à décrire vraiment ce que l'on veut dire. A ce stade, je m'en remets à mes théories de travail, même si je sais parfaitement que nous avons tous tendance à trouver ce que nous recherchons. Mais venons-en aux faits.

Cet homme recherchait désespérément le pouvoir. A mes yeux, le vrai pouvoir consiste à nous faire mutuellement comprendre, même dans une modeste mesure, lorsque cela devient réellement important.

Plus il était imbu de lui-même et désireux d'obtenir le pouvoir, plus il essuyait d'échecs. Lorsqu'il était tellement absorbé par la recherche du soulagement de la douleur qui en découlait, il était incapable de faire la seule chose valable pour obtenir le vrai pouvoir : *commencer par écouter les autres... afin de se faire entendre.*

Plus tard encore :

Il est passé au cabinet car il avait besoin de certains formulaires pour sa compagnie d'assurances, et il a encore parlé pendant trois heures. Pour l'essentiel, il a déclaré savoir déjà tout cela, mais que c'était la première fois qu'il arrivait à l'appliquer. Il avait affiné son point de vue. En arrivant, ses premières paroles furent les suivantes : « C'est comme si mes yeux s'écarquillaient pour tout voir. » Comme on peut s'en douter, nous avons eu le temps de parler *in extenso* de tous ses problèmes, de sa femme et de son fils, ainsi que de tout ce qui lui apparaissait sous un jour différent.

De toute évidence, ses observations et ses décisions étaient devenues plus justes depuis qu'il se tenait la tête haute.

7. Un rapport de force courant dans les couples

Voici ce que je vois le plus souvent lorsqu'un couple entre dans mon cabinet : deux personnes s'agrippent par les ongles au bord d'une falaise. Au lieu de se tendre la main pour s'aider, elles s'accablent mutuellement de reproches.

Cette image illustre bien que quoi que fassent ces deux personnes pour s'entraider, elles sont vouées à l'échec. Et si elles restent convaincues qu'elles ont absolument besoin de l'aide de l'autre, elles devront rester agrippées à la falaise... ou tomber dans le vide.

C'est le type de rapport de force le plus courant dans un couple. Je désignerai ici les personnes concernées par les mots *mari* et *femme* pour simplifier. Cependant, à aucun moment dans ce livre je ne veux donner à entendre que la différence de sexe puisse jouer ici un rôle quelconque.

Le mari, comme la femme, souhaite que l'autre soit différent – plus serviable. C'est la raison pour laquelle tous deux se
sentent impuissants et blessés à l'idée de ne pas plaire tout à fait
à leur partenaire. Aussi rejettent-ils la responsabilité de leur
malheur sur l'autre.

Supposons que le mari se mette habituellement en colère
ainsi : « J'en ai assez ! Tu dois faire ceci et tu ne cesses de faire
cela… » Si sa femme s'efforce de changer en conséquence, il
interprétera cela comme une « preuve » qu'elle tient réellement
à lui. Celle-ci, risquant alors de perdre son équilibre pour se
conformer aux désirs de son mari, il y a fort à parier qu'elle
reviendra vite à ses habitudes. C'est ainsi que, bataille après
bataille, ils en arrivent toujours au même résultat : le mari
obtient la « preuve » de l'attachement de sa femme pendant un
bref laps de temps. Si c'est la seule méthode qu'il connaisse
pour obtenir d'elle qu'elle change – les « preuves » de son attachement – dans le sens où il le souhaite, il est certain que ces
rapports de force se prolongeront indéfiniment.

Supposons maintenant que la femme use de méthodes différentes pour faire changer son mari, afin d'obtenir, elle aussi,
la « preuve » qu'il tient à elle. Elle pourra opter par exemple
pour la tactique de la « main de fer dans un gant de velours »,
faisant assaut d'égards et d'attentions. Mais elle aussi explose
de colère dès lors qu'elle se rend compte – tout comme lui –
qu'il n'est pas possible d'être assez aimable ou serviable pour
obtenir la « preuve » recherchée, à savoir que l'autre change
définitivement. Cependant, les colères de la femme sont à l'origine d'une anxiété extrême. Après tout, n'est-ce pas elle qui est
censée se trouver du bon côté de la barrière ?

Il est vrai que ses explosions de colère lui permettent sans
doute d'obtenir des résultats provisoires – la « preuve » de
l'attachement que lui témoigne son mari – mais tous deux ont
de plus en plus de difficulté à supporter les humeurs de l'autre.
Comme ils ont tous deux sans cesse besoin d'être encore plus
rassurés pour soulager leur inconfort croissant, ils luttent encore

davantage pour l'obtenir de la part de l'autre. La raison en est que, de toute évidence et selon eux, ils n'ont pas fait assez d'efforts pour obtenir ce qui leur manque – quel que soit le nom qu'ils donnent à la «preuve» qu'ils pensent devoir obtenir.

Lorsqu'un couple en arrive à ce stade, les périodes d'accalmie entre deux conflits n'ont cessé de se raccourcir. Leur parcours évoque les montagnes russes. Même dans les meilleurs moments, il n'y a pas d'extase réelle, chacun sachant ce que réserve l'avenir. L'image de la grande roue serait peut-être plus appropriée, quoique deux individus livrent la plupart du temps plusieurs batailles simultanément; en fait, ils sont toujours soit en haut, soit en bas ou bien entre les deux en même temps.

Il est probable que, dans la plupart des couples, les rapports de force visant à faire changer l'autre étant de plus en plus fréquents, ils sont également de plus en plus prévisibles, donc moins effrayants. Ils peuvent même perdre de leur virulence au fil du temps.

Il arrive également que certains couples s'installent dans une situation intermédiaire que l'on pourrait appeler «anxiété moyenne». Sans être vraiment mal ensemble, ils ne se sentent pas vraiment heureux non plus… à cause de la crainte d'une autre explosion de colère.

Les couples qui restent ensemble évoluent généralement vers un cas de figure où l'un attaque et l'autre se replie.

Récemment, j'ai reçu en consultation des personnes qui avaient opté pour le repli, trop loin, afin d'échapper aux attaques portées par leur partenaire. Dans certains cas, cela peut aller jusqu'au suicide ou bien inciter à se réfugier dans un monde de fantaisie excessive. C'est ainsi qu'une femme était dans une chaise roulante parce qu'elle avait mal partout et ne pouvait plus marcher, bien que des examens médicaux poussés aient montré qu'elle n'avait rien de physiologique. Encore une fois, je ne peux m'empêcher de penser à l'image de la personne qui tombe en défilant et qui n'ose plus se relever.

Il doit être extrêmement difficile, lorsque l'on est en position d'infériorité, de voir que les autres essaient de faire de leur mieux, de la seule manière qu'ils connaissent. Rien n'est plus vexant pour eux que de s'entendre accuser de n'avoir «même pas essayé». Traduction : «Tu ne fais pas autant d'efforts que je pensais!»

En revanche, une fois l'habitude prise de considérer l'autre comme le *mauvais* – de toute évidence le *méchant,* celui qui ne se donne même pas la peine d'essayer – la «solution» est vite trouvée : il suffit de rechercher un autre partenaire (ne serait-ce que mentalement) qui ne se fera pas prier pour se montrer attentif, pour changer, et sans que cela nécessite beaucoup d'efforts. A ce stade, ce que voient les deux partenaires ce sont les attaques et l'attitude défensive de l'autre. Et ce n'est pas à leur avantage!

Ce que je constate, c'est que pour échapper au piège des rapports de force, nous devons nous accepter comme étant égaux. Toutefois, ce n'est possible que si l'on est suffisamment bien dans sa peau ; dans ce cas, il n'est pas nécessaire que les autres soient déprimés pour éprouver un sentiment de bien-être. Nous en revenons à l'image du défilé, lorsqu'on se sent si bas que l'on éprouve le besoin de donner l'impression qu'en réalité on domine les autres.

Je rencontre des gens qui ont une telle peur de leur «mauvaise» nature qu'ils cherchent désespérément à se montrer si *bons* qu'ils méritent une considération toute particulière. Dans mon cabinet, cela peut se manifester par le fait d'essayer de prouver que leurs problèmes sont pires que ceux des autres. On a même l'impression que les lois de la nature devraient faire l'objet d'une suspension spéciale pour eux.

Il n'est pas facile d'apprendre à accepter un partenaire. Quand je pense à mon mari, par exemple, je garde à l'esprit que je dois l'accepter *dans son ensemble.* Sinon, je serai dans l'incapacité d'entretenir des relations avec lui, tel qu'il est, à aucun moment. Si je n'avais pas repris des cours pour obtenir une licence de psychologie et, par la suite, être confrontée aux problèmes de tant de couples, je ne pense pas que notre mariage aurait survécu. Je ressens une grande compassion pour tous ceux qui veulent désespérément améliorer leurs rapports mais qui, tout comme moi à une certaine époque, ne savent pas comment s'y prendre.

Ce que j'ai appris, c'est que *c'était à moi de mieux accepter les différences.* Aussi étonnant que cela puisse paraître, je pense que **pour apaiser les tensions il suffit que l'un des deux apprenne à se montrer plus tolérant.** L'autre sera alors moins sur la défensive. Il ne sera plus nécessaire de provoquer des crises pour obtenir une « preuve » temporaire de son attachement. Les montagnes russes disparaîtront alors dans le fond du paysage.

On me pose parfois la question suivante : « Comment faire changer l'autre s'il me fait du mal ? »

Réponse : si je me rends compte que je ne suis pas en mesure de faire changer l'autre directement, tout ce qu'il me reste à faire c'est d'obtenir sa coopération. Comment ? En partant du point de vue que nous sommes complètement égaux, je projette une image totalement différente qu'en considérant mon partenaire comme simplement *bon* ou *mauvais*. Mes actes étant alors différents, ses réactions le seront aussi. Je ne pourrai toujours pas prévoir la suite des événements – ce qui reste difficile dans un monde de sables mouvants – mais la rigidité de la situation précédente sera rompue.

8. Les implications pour la société

Dans ce dernier paragraphe, j'en reviens à la colère et aux rapports de force, ainsi qu'au volume considérable d'informations que je collecte tous les jours. Et je me demande comment elles peuvent s'appliquer à la société dans son ensemble.

Pendant des années, j'avais la certitude que dans les débats télévisés on me demanderait : « Notre société est-elle plus agressive qu'autrefois ?» Ce n'est que récemment que j'ai pris conscience que l'on ne me posait jamais cette question.

Si vous êtes comme moi, vous serez surpris de la vitesse à laquelle colère et violence se manifestent. Pendant longtemps, lors de débats à la télévision, j'affirmais que «d'après ce que je sais de la colère et des facteurs déjà en place, le niveau global de notre colère va continuer à augmenter».

Tout espoir n'est cependant pas perdu. Je pense que vous conviendrez avec moi que *nous avons tous le pouvoir d'apaiser les tensions,* même si ce n'est que dans une modeste mesure au début. Mais qui sait où cela peut nous conduire ?

Avant de poursuivre, je ferai quelques commentaires sur les facteurs qui, selon moi, attisent les flammes de la colère, et je poserai quelques questions :

❐ Beaucoup de gens sont en colère, et cela me donne à penser qu'ils n'arrivent peut-être pas à se faire entendre (il est vrai que leur vision des choses implique des attentes sans doute excessives). Pour le moment, quand j'affirme cela, c'est de la définition la plus courante de l'expression « se faire entendre » qu'il s'agit. Autrement dit, il s'agit d'arriver à se sentir fort, rassuré, en sachant que les autres s'intéressent réellement à ce que nous disons, au moins occasionnellement.

❐ Un autre facteur, à mes yeux, est en conflit avec notre désir de nous faire entendre des autres : il faut lutter pour survivre dans un monde où l'on croule sous les informations. Aussi, pour ne pas nous laisser submerger, nous devons en délaisser la plupart. On peut alors se demander ce qui se passerait si tous ceux qui nous entourent avaient désespérément besoin de se faire entendre, alors que nous faisons justement de notre mieux pour filtrer ce qui vient de l'extérieur.

❐ Nous sommes si nombreux à nous sentir indifférents, submergés et dans l'incapacité à communiquer avec les autres qu'il faut de plus en plus de stimuli et de sensationnel pour pénétrer cette indifférence. Cependant, celle-ci augmente en conséquence, déformant et ralentissant le filtrage des informations et leur classification. Notre confusion ne fait que s'accroître en même temps que notre crainte d'avoir mal interprété, ou complètement ignoré, une information cruciale.

❏ En nous rendant compte que notre collecte d'informations et leur tri ne se font pas normalement, nous craignons de ne plus avoir confiance en nous-même, en notre perception et en nos conclusions. Nos suppositions nous mettent de plus en plus mal à l'aise. Il est facile de voir que c'est à partir de perceptions erronées que nous justifions notre colère et nos rapports de force, puisque ceux-ci déforment à leur tour nos perceptions et nos conclusions. Il s'ensuit une perte de confiance croissante en nous-même.

❏ De moins en moins sûr de nous et de plus en plus soupçonneux vis-à-vis des autres – qui pataugent également de leur côté – nous trouvons de nouvelles justifications à notre colère et à son expression, puisque cela semble la seule chose à faire. Néanmoins, force est de constater qu'elle est contagieuse.

❏ Dans ce climat de critiques et de jugements, nous nous détruisons mutuellement au moment où nous avons le plus besoin les uns des autres. Qu'il s'agisse de problèmes importants ou insignifiants, personne n'ose, dans de telles conditions, faire le premier pas pour résoudre les problèmes communs. On compte plus de doigts tendus pour dénoncer que de doigts levés pour proposer des solutions.

❏ A mesure que les problèmes se multiplient autour de nous, comment rester suffisamment indifférent ou nous cacher assez bien, pour trouver la sécurité ? Pouvons-nous nous fondre dans la masse afin de ne pas devoir affronter le danger directement ? La loi est-elle suffisamment respectée, n'importe où, pour nous protéger ? En Californie, si la population carcérale continue à augmenter au rythme actuel, plus de la moitié des habitants de l'Etat seront en prison d'ici quelques années ! Néanmoins, on peut se demander si l'on sera alors davantage

en sécurité. Ou bien faudra-t-il porter cette proportion à 75 % ?
Est-il plus sûr de continuer dans cette voie ? Ou bien faudra-t-il inverser cette tendance pour survivre ?

9. Rester à l'écoute de l'autre

L'espoir, selon moi, **est en nous.** Nous devons tous nous considérer capables de résoudre les problèmes au quotidien et en toutes circonstances, alors même que nous nous efforçons de préserver notre équilibre mental et physique. Il me semble évident que nous avons absolument besoin de nous soutenir mutuellement dans nos luttes, surtout lorsqu'il s'agit de donner un sens à la vie. C'est ce qui nous permettra de garder la tête haute.

La meilleure façon de soutenir les autres, j'en suis convaincue, consiste simplement à **les écouter.** Lorsque l'on est en train de lutter, cela aide considérablement.

En se parlant trop à soi-même, il est facile de fausser la vérité. On risque alors de se demander pourquoi on ne cesse de ressasser les mêmes pensées au lieu de trouver la paix. Toutefois, si l'on parle à un interlocuteur qui se montre attentif, on se sent alors dans l'obligation de les remettre à plat. On s'aperçoit alors que l'on atteint plus facilement notre objectif.

L'espoir réside, à mon avis, simplement dans le fait d'être **à l'écoute, un peu plus chaque jour.** Et cela, tout le monde en est capable. Si l'on n'a pas à lutter aussi dur pour communiquer avec les autres, les tensions s'apaisent et finissent par disparaître. Et il s'agit là d'un changement de direction radical.

De toute évidence, Néron se tournait les pouces tandis que Rome était la proie des flammes. Nous aussi, nous pourrions adopter la même attitude. En revanche, s'il nous déplaît d'être dans l'incapacité d'agir, il suffit de savoir que bien des crises ont été résolues par des gens qui appliquaient ce proverbe chinois : « Il vaut mieux allumer une bougie que se lamenter contre l'obscurité. »

TROISIEME PARTIE

Un cheminement
contre la colère et la violence

Les pages qui suivent sont la traduction adaptée du livre de Betty Doty : *100 Things we can do about Anger and Violence.*

Dans cette troisième partie, nous tenterons de faire le point sur ce que nous avons déjà appris et de déterminer ce que vous pouvez faire contre les accès de colère et de violence.

Commencez par reconnaître que vous avez déjà fait un premier pas en lisant le début de ce livre, car cela prouve que *vous êtes décidé à chercher une solution, donc une amélioration.*

Je crois que la plupart d'entre nous se cachent la tête dans le sable lorsqu'ils se sentent totalement incapables de contenir leur agressivité. Nous allons nous efforcer de découvrir une bonne alternative à ce problème majeur de la relation humaine. Une alternative bonne *pour vous* d'abord, mais aussi bonne *pour les autres.*

Mon besoin d'écrire tout cela vient de ce que je vois quotidiennement dans mon cabinet de conseil familial. Je constate toujours le même schéma de pensée qui mène inévitablement à la colère et à la violence, créant ce que j'appelle le *piège de la colère et des rapports de force.*

Dites-vous bien qu'il existe néanmoins une solution.

J'aimerais vous dire dès maintenant comment procéder et comment, grâce à quelques idées force, vous êtes assuré d'y parvenir. Il s'agit ici de progresser par petites étapes, certaines consistant simplement à répondre à une question qui semble parfois trop facile. Néanmoins, il y a fort à parier que vous serez surpris et très heureux de voir où cela vous conduit.

En tant que psychologue-conseil, je me suis rendue compte que je ne peux jamais partir du principe que telle ou telle méthode donnera les résultats escomptés avec un individu donné. Tout ce que je puis faire, outre l'écouter, c'est lui indiquer ce qui « marche » selon moi. Ensuite, j'en tire une *façon de penser* susceptible de donner de bons résultats avec beaucoup d'autres gens, afin qu'ils ne se mettent plus aussi facilement en colère.

En pensant à la façon dont s'effectue tout apprentissage, je vous poserai la question suivante : qu'est-ce qui fait la différence, à vos yeux, dans la manière dont on vous fait une suggestion ? Qu'est-ce qui fait que vous y êtes plus ou moins réceptif ? Cela étant dit, voici ce que je propose pour aider chacun à trouver ce qui lui permet le mieux de tempérer sa colère et celle des autres.

1. Vaincre le sentiment d'impuissance

A ce stade préliminaire, il serait judicieux d'interrompre votre lecture un instant pour vous efforcer de *cerner un tant soit peu votre colère* (peu importe le nom que vous lui donnez : ressentiment, colère dirigée contre vous-même ou rage folle…). Vous serez alors mieux à même de savoir si les suggestions données dans ce livre donneront de bons résultats avec les autres… dès que vous constaterez que c'est le cas pour vous.

Imaginez les implications pour notre société si vous vous rendez compte qu'une personne – en l'occurrence vous – parvient à tempérer vraiment sa colère simplement en lisant un livre. Difficile à croire ? Peut-être. En attendant, cela peut arriver si j'en crois les réactions à mes précédents ouvrages.

Voici, à mon sens, ce qui se passe dans notre société : c'est comme si nous étions entourés de feux de brousse allumés par la colère et la violence. Si nous ne prenons pas le taureau par les cornes – et vite – nous sommes réellement menacés par un incendie contre lequel il n'existe aucune parade.

Que faire pour éteindre ces feux de brousse ? Changer de seau ? Changer d'eau ? Vous en conviendrez, il faut faire preuve d'imagination… et peut-être la solution doit-elle venir de personnes qui ne sont pas très différentes de vous et de moi.

Il est essentiel de ne pas se sentir impuissant face à une telle situation. Je suis en effet persuadée que *les débordements de colère viennent du sentiment d'impuissance.* En atteignant un seuil critique, la colère engendre inévitablement de la violence. Celle-ci s'autoalimente pour dégénérer en un véritable incendie.

Si c'est vraiment un sentiment d'impuissance qui déclenche notre colère, nous devons porter notre attention sur ce qui, en nous, réveille ce sentiment d'impuissance. Par exemple, commencez par demander à plusieurs personnes de dire ce qui ne va pas dans notre société et prenez note des solutions qu'elles proposent. Si toutes parlent de ce que doivent faire *les autres* sans jamais s'interroger sur elles-mêmes, leur discours ne pourra engendrer que davantage de désespoir et d'impuissance... et par conséquent davantage de colère.

Que se passe-t-il si nous nous en tenons à la thèse selon laquelle les problèmes d'une certaine ampleur de notre société – tels que l'escalade de la colère et de la violence – ne peuvent être résolus que par des solutions à la même échelle ? Nous ne pourrons pas nous sentir en sécurité les uns avec les autres tant que nous n'aurons pas résolu une longue liste de situations dramatiques : injustice, préjugés, drogue, alcoolisme...

A quoi ressemblera une société où cette croyance est répandue ? Ne serions-nous pas confrontés à ce que nous connaissons actuellement : une situation où tout le monde est paralysé par l'impuissance et la peur ? Il se peut que nous ayons le sentiment (à juste titre ?) que les méthodes actuelles n'aboutissent pas assez vite pour éviter les incendies.

Une fois que nous aurons admis qu'*il est essentiel de ne pas nous sentir impuissant,* au moins nous ne perdrons plus un temps précieux à nous raconter des histoires terrifiantes, telles que l'augmentation alarmante du nombre d'agressions à l'école.

Au lieu de se lancer dans des conversations sur cette impuissance à réagir, vous constaterez alors peut-être que les autres préfèrent discuter des idées évoquées ici, surtout de celle qui semble la plus ridicule : apprendre à réduire l'angoisse causée par leur propre colère simplement en lisant un livre.

Lorsqu'une personne vient me trouver à mon cabinet, je commence par examiner attentivement les pensées qui sont à l'origine de son sentiment d'impuissance et des actions de plus en plus désespérées qui s'ensuivent. J'écoute ses observations, comment elle définit ses problèmes et les solutions qu'elle envisage. Ensuite, j'ai l'impression d'entendre un piège se refermer, ses pensées tournant sans cesse en rond pour l'enfoncer davantage dans l'ornière.

Posez-vous la question suivante : êtes-vous capable d'accepter l'idée que notre impuissance – individuelle ou collective – puisse venir de la façon dont nous observons notre environnement et définissons les problèmes… puisque c'est ce qui détermine la façon dont nous recherchons des solutions.

A quoi ressemble un individu qui se sent perpétuellement impuissant… et s'engage constamment dans des rapports de force pour en sortir ? A quoi ressemble une société composée de millions d'individus de ce type ? Quand je vois des gens pris à ce piège, j'en arrive à cette conclusion surprenante : tous passent vainement leur temps à éviter de se mettre en colère et de susciter celle des autres.

2. Cessez les rapports de force

Pourquoi, selon vous, tombe-t-on dans ce piège ? Quelle tournure d'esprit provoque cette situation à coup sûr ? D'autres situations rencontrées au cours de mes consultations apporteront peut-être des réponses à ces questions.

On me dit ceci : « Il faut bien que je me batte, sinon je me ferai écraser par les autres… Je ne serai plus rien… Plutôt mourir que d'abandonner ! » Ce piège des rapports de force se resserre dès lors que nous nous mettons à croire que nous n'avons d'autre choix que nous battre ou abandonner. Cette dernière solution apparaissant inacceptable, nous devons poursuivre la lutte… même si nous nous sommes rendu compte que cela ne menait à rien.

Dans son cabinet de consultation, que peut faire un psychologue-conseil pour rompre ces rapports de force ?

Partons du principe qu'un individu ne connaît qu'un seul et unique moyen de régler ses problèmes : instaurer des rapports de force d'où il doit obligatoirement sortir vainqueur ou vaincu. Comment peut-il, dans ces conditions et à partir de ses propres expériences, trouver une méthode pour mieux les résoudre ?

Cette question mérite que vous vous y attardiez. En effet, tant que vous n'avez pas trouvé de réponse vous pouvez vous considérer prisonnier de luttes de pouvoir incessantes. Vous vous montez les uns contre les autres, puis vous vous plaignez de la violence qui en découle et de votre impuissance à améliorer votre sort.

Je pense que nous tenons désespérément à tirer le meilleur parti les uns des autres, le plus souvent possible. Mais comment faire ? Lorsque je suis face à des gens qui passent d'un style de vie où s'alternent victoires et défaites à un autre, plus positif, il n'est pas facile de dire exactement ce qui se passe. Je pense qu'à mon cabinet ces personnes commencent par *se sentir acceptées telles qu'elles sont.* Cela semble les aider à se sentir suffisamment à l'aise pour se mettre à parler, et à écouter. Ensuite, si elles le désirent, elles peuvent expérimenter quelques-unes des idées qui leur viennent à l'esprit.

3. Favorisez un climat de détente

Les pensées de tout le monde peuvent être perturbées à un moment ou à un autre, mais tôt ou tard elles peuvent s'apaiser. Il me semble que c'est quand nous nous sentons bien dans notre peau, détendu, que nous prenons les meilleures décisions, et surtout pas quand nous sommes désespéré. A mon cabinet, pour favoriser un climat de détente je commence par écouter mon patient pendant deux heures d'affilée. Je me tiens la tête baissée pour éviter de manifester la moindre réaction.

Les autres se sentent plus à l'aise si on leur montre qu'on les accepte tels qu'ils sont. Alors, comment parvenir à nous montrer plus tolérants ? Ce que je constate, c'est que tous sont prisonniers de rapports de force, que ce soit avec les autres ou avec eux-mêmes. *Ils ne voient que ce qu'ils ne peuvent obtenir,* ce qui fait qu'ils cherchent désespérément de l'aide pour arriver à leurs fins. Alors ils redoublent d'amabilités... mais en cas d'insuccès, ils se mettent en colère et risquent de laisser libre cours à leurs mauvais penchants. Leur colère les isole encore un peu plus et ils se montrent plus déterminés que jamais à obtenir ce qu'ils veulent (et qui, selon eux, devrait améliorer leur situation).

Cela vous semble-t-il familier ?

4. Aider

En consultation, les gens me disent qu'ils sont dans l'incapacité de se faire entendre des autres. Sans doute veulent-ils dire par là qu'ils n'arrivent pas à se montrer assez persuasifs. L'aide recherchée peut être vague ou bien, au contraire, porter sur un point précis ; quoi qu'il en soit, ce qu'ils désirent, à mes yeux, c'est que *les autres leur rendent la vie plus facile.* Dès lors, après avoir passé une grande partie de leur vie à essayer en vain de les persuader dans ce but, ils peuvent souhaiter tout détruire en guise de punition.

Il n'est pas nécessaire de chercher bien loin pour voir où mènent ces pensées... ou pourquoi il est si important d'y mettre un terme. Lorsque je m'efforce de rompre ce cercle vicieux, je ne cesse de répéter que je ne peux apporter aucune aide directe. En effet, je ne peux avoir la prétention de connaître exactement les désirs de chacun.

Aider, qu'est-ce que c'est, au fond ? Question intéressante... Peut-être avez-vous déjà remarqué qu'elle s'applique particulièrement au problème de la colère et de la violence.

La plupart des gens partent du principe que la colère est inévitable, et qu'une fois déclenchée nous n'avons d'autre choix que de la contenir ou de lui donner libre cours. Peut-être est-ce vrai. Mais dans le cas contraire, cela interdit d'envisager toute alternative. *Et si le problème résidait au fond dans le seul fait de se laisser aller à se mettre en colère ?* Si l'on admet que c'est là qu'il trouve son origine, d'autres perspectives s'offrent à nous.

5. La mouvance des relations humaines

Nous allons maintenant voir qu'il peut exister un moyen de se maîtriser. Votre rôle consistera à vérifier et contrevérifier ces observations chemin faisant.

Je pense parfois que c'est un miracle que nous arrivions tous à nous entendre comme nous le faisons. Le problème des relations humaines évoque pour moi un puzzle. C'est un peu comme si nous étions assis devant une table, nous efforçant de remettre en place les pièces, qui ne cesseraient de bouger. Comment alors faire des projets ? Comment savoir à quoi s'attendre ? Comment être sûr de soi ? Il est bien difficile de répondre à ces questions si nous bougeons constamment.

A la place du puzzle, évoquons maintenant une autre image. Supposons que nous essayions de marcher sur du sable mouvant. Il bouge, glisse, coule... Dans ce cas, il me semble que nous tâchons avant tout de garder l'équilibre. Si nous tombons et ne nous relevons pas rapidement, nous risquons d'être enseveli.

Il n'est guère facile de conserver l'équilibre sur les sables mouvants... Il n'est donc pas surprenant que nous demandions de l'aide, sans pouvoir nécessairement obtenir le résultat escompté. Imaginons que nous nous trouvons dans un vaste défilé, allant de la naissance à la mort ; de toute évidence nous nous donnons beaucoup de mal pour garder l'équilibre. Très vite, nous apprenons que, pour éviter les ennuis, nous devons garder la tête haute et les yeux grands ouverts.

Cependant, pour ce faire, nous devons nous sentir bien dans notre peau. Il est vrai que nous aimerions avoir plaisir à défiler, mais comment apprendre à le faire ?

En principe, cela ne devrait pas être trop difficile ? Le problème est, pour chacun de nous, que tout ce que nous faisons pour rester en équilibre, consciemment et inconsciemment, change à chaque instant. Il nous faut donc rester le plus attentif possible à nos observations et décider en conséquence de la marche à suivre... pour nous-même. Le problème est le même que celui qui se pose au bébé qui apprend à marcher. Il n'existe aucun mot, aucun geste, qui puisse lui montrer comment faire.

6. Les luttes de pouvoir

Nous affirmons souvent vouloir de l'aide, *mais peut-être est-ce pour quelque chose que nous pouvons faire nous-même.* Est-il surprenant, dans ces conditions, que notre entourage ne nous comprenne pas ?

Combien de fois avez-vous désespérément eu besoin d'aide sans l'obtenir au bon endroit, au bon moment ou de la manière voulue ? Si nous nous obstinons à rechercher une aide (pour garder l'équilibre) que personne ne peut nous apporter, il n'est pas surprenant que les autres se sentent offensés par nos exigences et nos plaintes, encore moins qu'il leur soit difficile d'accepter notre colère à leur encontre. Pour le moment, nous nous contenterons peut-être d'examiner très attentivement toutes ces questions.

Réussir, c'est apprendre à faire avec ce que l'on nous donne, de plein gré. Que pensez-vous de cette idée ?

Savez-vous ce qu'il arrive à celui qui n'y croit pas ? Si votre réponse est que cette personne sera constamment engagée dans des rapports de force, je pense que vous avez raison. Je reçois souvent des gens qui ont toujours cru devoir lutter contre les autres pour obtenir ce qu'ils voulaient. Cependant, ces luttes sont futiles. Par définition, il y a toujours un vainqueur et un perdant. Et que fait le perdant ? Il attend que sonne l'heure de la vengeance. Quant au vainqueur, sa victoire n'est que temporaire. Il ne peut guère se reposer sur ses lauriers, puisqu'il doit consacrer chaque instant à préparer la prochaine bataille.

Par définition, *les luttes de pouvoir ne peuvent pas avoir de fin ni de finalité.* Le grand problème avec ce type de rapports, c'est qu'ils exigent de plus en plus d'énergie. Si je jette une pierre, l'autre pense devoir en jeter deux (pour remporter une victoire décisive). A mon tour, j'en jette trois (après tout, regardez ce qu'a fait mon adversaire !). Le vrai problème est relégué à l'arrière-plan à mesure que nous nous engageons de plus en plus dans la lutte elle-même. Mes consultants piétinent dans un cul-de-sac ; ils savent que continuer à se battre est intolérable, mais abandonner l'est tout autant.

Comment trouver une alternative à la pensée qui a déclenché ce rapport de force ? Je pense que tous ceux qui se trouvent pris dans ce cercle vicieux n'ont qu'une hâte : en sortir. Mais quelle alternative trouver dans notre société ? Les luttes de pouvoir sont omniprésentes. Si une personne se sent impuissante et croit que lutter est la seule issue, elle ne peut pas s'arrêter à mi-chemin pour établir un compromis. Le souci de préserver un « équilibre des forces » oblige chacun à observer l'autre en permanence, à se tenir prêt à riposter au moindre faux pas. Les forces en présence peuvent parfois sembler endormies, inoffensives, mais en réalités elles sont prêtes à se déchaîner à tout moment.

Voyez-vous une alternative ? Si, à mon cabinet, je savais clairement quelle alternative proposer à l'attitude adoptée par mes consultants, je me ferais un plaisir de vous la communiquer. Cependant, comme ce n'est pas le cas, je me contenterai de décrire dans les grandes lignes ce que je leur dis.

7. Cessons de croire que les autres nous ressemblent

Vous devez parvenir à dépasser le stade des généralités, valables pour tous, pour définir vous-même les détails de la marche à suivre *pour vous-même.*

Revenons à l'image du défilé. Nous marchons tous ensemble sur des sables mouvants, nous efforçant de garder l'équilibre. C'est toujours risqué. Les autres semblent n'être que trop disposés à nous déclarer fous, stupides ou malveillants. Même si nous avons la certitude de la validité de la marche à suivre, il nous arrive de nous tromper. Certes, nous ne savons jamais d'avance exactement ce qu'il conviendra de faire à un moment donné. Cependant, nous pouvons au moins nous consoler en nous disant que personne d'autre ne le saura non plus.

Voici ma question : pourquoi nous critiquons-nous et nous jugeons-nous autant les uns les autres ? Est-il possible de vraiment connaître les autres et ce qui motive leurs actes ? Il me semble que nous sommes trop compliqués pour nous comprendre... y compris nous-même. En dépit de nos efforts pour essayer de connaître les pensées des autres, nous n'arrivons guère à en cerner qu'un centième. *Arrêtez alors de spéculer sur leurs intentions.*

Ce que je constate, c'est que *la plupart du temps nous nous contentons en réalité de suppositions...* mais que nous avons également tendance à l'oublier. Que se passe-t-il alors ?

Il me semble que nous voulons croire que, pour l'essentiel, les autres nous ressemblent. C'est ce qui nous permet d'expliquer leur comportement en fonction de nos propres théories. Alors nous favorisons ce qui nous semble le plus évident. Le problème, toutefois, c'est que si nous croyons réellement pouvoir comprendre les autres, surtout nos proches, nous pensons également ne pas avoir vraiment besoin de les écouter.

Vous est-il arrivé d'avoir la conviction de savoir pourquoi une personne faisait une certaine chose, pour finalement vous rendre compte que vous vous trompiez complètement ?

Sommes-nous vraiment disposés à parler les uns avec les autres à n'importe quel moment pour garder l'équilibre ? Rarement. Cela me semble en effet si compliqué que nous devrions alors passer tout notre temps à parler... Quant aux autres, ils ne pourraient pas non plus être complètement attentifs, étant trop occupés à garder leur propre équilibre. Le cerveau est beaucoup plus rapide que la parole ; de ce fait, il est impossible de tout dire. Il est également facile d'induire l'autre en erreur.

On peut en effet sourire pour masquer sa peur, afficher de l'assurance justement parce que l'on se sent impuissant... Comment être sûr que l'on sait vraiment ce qui se passe ? Comment s'octroyer le droit d'avoir toujours raison ?

J'imagine parfois notre cerveau comme un grenier qui risque toujours d'être trop plein du bric-à-brac que l'on y apporte de l'extérieur. Il faut alors faire des choix : jeter ou garder ? Comme tout doit trouver sa place, il faut prendre des décisions, changer des choses de place, et ce, en permanence...

Comment savoir à quels problèmes une autre personne est confrontée à un moment donné ? Quelle décision est-elle en train de prendre ? Peut-elle nous le faire savoir de telle manière que cela ait un sens pour notre propre bric-à-brac ?

J'utilise cette image d'un bric-à-brac dont les éléments se déplacent constamment pour bien montrer à quel point il est improbable que l'on parvienne jamais à comprendre vraiment quelqu'un d'autre. En effet, les éléments du bric-à-brac sont différents pour chacun de nous et changent constamment de place. Ne serait-ce pas extraordinaire d'arriver à nous comprendre les uns les autres, même brièvement ? C'est intéressant car, à mon cabinet, je ne cesse d'entendre les gens se plaindre de ne pas comprendre les autres et de n'être pas compris d'eux, comme si cela allait de soi.

Sommes-nous capable d'admettre que *comprendre parfaitement les autres est sans doute impossible* ? Dans notre lutte incessante pour garder l'équilibre, nous arrivons tôt ou tard à la conclusion qu'il est vraiment impossible de nous comprendre les uns les autres... ou du moins d'obtenir des autres toute l'aide que nous en attendons. Comment trouvons-nous alors le courage de continuer ?

8. Vous n'êtes pas un incapable !

Savoir que seule notre propre réponse peut donner les résultats escomptés ne facilite guère les choses.

Voici ma version : nous échafaudons des théories. En trébuchant et en nous redressant, nous finissons par nous rendre compte que certaines de nos théories aident à garder courage, d'autres pas. Même si nos convictions premières s'inscrivent *grosso modo* dans des systèmes de croyance globalement acceptés, ce dont il est question ici c'est des idées secondaires, des « petites » théories que nous modifions constamment en progressant.

Et si l'idéal était de trouver un moyen de stabiliser le sable mouvant sur lequel nous essayons de marcher pour garder l'équilibre ? En étant sûr que le sable restera là où il est, sans doute ferions-nous des projets (on ne peut pas dire que nous ménagions nos peines !). Eh bien, je crois que nous serions constamment déçu... et que nous rejetterions le blâme sur nous-même ou sur les autres (qui, justement, ne sont pas assez coopératifs). Ou alors nous arriverions à la conclusion que nous sommes un raté, parce qu'aveugle au fait que *stabiliser ce sable est tout simplement impossible.*

Que se passe-t-il dès lors que l'on a le sentiment d'être un incapable ? Croire que l'on ne réussira que si l'on parvient à stabiliser les sables mouvants ne peut, à mon avis, apporter que des ennuis. *On aura beau essayer, face à une tâche impossible on sera toujours impuissant.* Lorsque ce sentiment d'impuissance devient intolérable, la colère et la violence sont inévitables.

Ce type de processus est tellement courant que vous ne manquerez certainement pas de le reconnaître. Mes consultants essaient de me convaincre que c'est à juste titre qu'ils sont engagés dans des luttes de pouvoir. Alors, je vous pose la question suivante : quelle différence cela fait-il de croire que les rapports de force que nous instaurons sont justifiés s'ils ne mènent à rien à long terme ?

A votre avis, que se passera-t-il si nous sommes persuadé qu'en trouvant un guide approprié, nous garderons l'équilibre ? En l'absence d'alternative, nous risquons de passer notre vie à chercher le maître à penser idéal. Cependant, si nous suivons ses enseignements de trop près, il y a un prix à payer : notre impuissance ne fera que croître et nous aurons de plus en plus peur d'avoir à nous débrouiller seul.

Voyez-vous où ce type d'impuissance conduit inévitablement, tant sur le plan individuel qu'au niveau social ? Que se passera-t-il si, pour garder courage, nous choisissons de rester le plus discret possible afin de ne pas nous faire remarquer, voire, à plus forte raison, de subir les critiques d'autrui ? Une telle attitude vous mettra-t-elle enfin en sécurité au milieu des sables mouvants ? Peu probable ; je crois que nous nous retrouverons simplement repoussé sur le bas-côté et, une fois de plus, dans une impuissance totale. Si celle-ci doit conduire à la colère et à la violence, le choc sera certainement encore plus grand pour nous que pour les autres.

Prenons un exemple : si nous admettons que nous nous trouvons dans un monde de sables mouvants et que la seule solution consiste à nous redresser à chaque fois que nous trébuchons, nous concluons que nous sommes un incapable si nous essayons des théories menant à l'échec. Pourtant, nous savons bien que certaines donnent de meilleurs résultats et aimerions les partager. Mais comment faire savoir aux autres lesquelles, si leur propre bric-à-brac est composé d'éléments différents ?

9. Nous faisons toujours de notre mieux

Vous voyez peut-être maintenant que je ne fais que ce qui est à la portée de tous : dire ce qui donne de bons résultats avec nous-même, en espérant que le message soit suffisamment clair pour que les autres essaient nos théories à leur tour… du moins s'ils sont disposés à le faire.

Voici donc ma théorie : à mes yeux, le cerveau peut se comparer non seulement au bric-à-brac que l'on rencontre dans un grenier, mais également à un ordinateur dont le rôle consiste à nous garder en équilibre. Il reçoit constamment des messages : «Fais ceci… Fais cela…» Je n'ai aucun moyen de savoir, cons-

ciemment et à un moment donné, ce qu'il y a dans mon ordinateur – ou mon bric-à-brac – ni, précisément, pourquoi je
prends telle ou telle décision. Je choisis néanmoins de croire
qu'avec les éléments dont je dispose à cet instant précis, je
vais faire de mon mieux pour garder l'équilibre.

Maintenant, c'est à vous de vous dire que ce dont il est
question ici ce n'est pas de faits, mais d'une théorie à essayer.

Je fais un choix. Je dois déterminer ce qui se passera si je
choisis de croire que nous sommes tous ainsi faits que nous
faisons constamment de notre mieux pour garder l'équilibre.
L'avantage de cette théorie est qu'elle peut s'appliquer n'importe
où. C'est un peu comme si j'emmenais mon juge et mon jury
partout ; je saurais ainsi toujours, à l'avance, que je fais de
mon mieux. Si je trébuchais, je trouverais facilement le courage
de me relever. En effet, je saurais que les choses sont ainsi, que
même en faisant de mon mieux il m'arrivera toujours de tré-
bucher.

Vous trouvez cette théorie ridicule ? Je pourrais vous dire
qu'aujourd'hui j'ai fait de mon mieux. Vous le comprendriez
sans peine. Mais ce dont il s'agit maintenant, en choisissant de
croire que nous sommes ainsi faits que nous faisons constamment de notre mieux, c'est de ceci : *nous pouvons toujours*
décider que ce que nous faisons à un moment donné, c'est la
meilleure chose à faire. Tout ce que nous reconnaissons, c'est
que nous ne savons pas pourquoi notre ordinateur prend telle
ou telle décision. Si nous optons pour cette attitude, nous pro-
cédons différemment et plus efficacement qu'en croyant le
contraire.

Vous n'êtes pas encore convaincu, mais vous commencez à
comprendre, n'est-ce pas ? Ce qui peut empêcher certains
d'accepter cette vision des choses, c'est qu'ils pensent ne jamais
pouvoir progresser s'ils considèrent qu'ils font constamment
de leur mieux. Effectivement, beaucoup ont tendance à penser
que c'est l'autocritique qui nous incite à évoluer. Peut-être.
Mais ce que je constate, c'est qu'*en considérant que nous fai-*

sons toujours de notre mieux, nous sommes moins stressé, plus détendu. Nous commençons alors à prendre des décisions plus raisonnables et non le contraire.

Cela ressemble-t-il à quelque chose que vous avez déjà vécu ? Ce que je veux dire, c'est qu'*il existe effectivement une façon de voir le monde qui ne nous rend ni soupçonneux ni hostile.* La suspicion et l'hostilité s'autoalimentant, je pense que dans ce contexte nous ne pouvons guère que riposter. A mesure que les rapports de force s'intensifient, que nous combattons les autres et que nous nous défendons, il devient difficile de dire que nous faisons de notre mieux. Nous pouvons même en arriver à nous haïr nous-même.

10. La coopération

Nous voici de retour à la case départ : comment passer d'un mode de vie reposant sur les rapports de force à un autre, reposant sur la coopération ?

A mon cabinet, les gens me disent souvent que quelque chose ne va pas chez eux, ou leur fait défaut. C'est un peu comme s'ils percevaient leur colère comme un monstre tapis au fond d'eux-mêmes, toujours prêt à bondir et à les mettre dans l'embarras. En les écoutant, je vois se dérouler le fil des pensées qui les ont conduits là où ils sont. Ils essaient péniblement de déterminer l'origine du problème et de garder le monstre hors de vue.

Peut-être vous souvenez-vous que la preuve que quelque chose ne va pas, c'est votre incapacité à vous faire comprendre des autres et à obtenir de l'aide. A vos yeux, est-ce là une situation tragique ? Selon moi, dès lors que nous avons une opinion négative de nous-même (nous sommes dans l'erreur, nous sommes un incapable, ou encore d'autres opinions destructrices...), ce seul jugement contamine tout ce que nous faisons. Au lieu d'évoluer avec assurance, nous ne cessons de revenir en arrière, obsédé par le désir de ce que nous ne pouvons obtenir pour nous sentir mieux dans notre peau (du moins selon notre propre définition, puisque nous ne nous rendons pas compte que nous faisons déjà de notre mieux).

Comprenez-vous, maintenant, pourquoi mes consultants déclarent se trouver dans un cul-de-sac ? Ils savent qu'ils font de leur mieux ; de ce fait, la seule solution qu'ils connaissent, redoubler d'efforts, est devenue une impossibilité.

Convaincu de notre incapacité (persuadé d'être dans l'erreur, impuissant…), nous ne défilons pas au même niveau que les autres. Si nous croyons évoluer deux mètres en contrebas, par exemple, nous devons livrer un combat de tous les instants pour montrer que nous devrions être au moins au même niveau que le reste du défilé. Il s'ensuit des luttes incessantes pour obtenir encore de l'aide (voire des attentions particulières) afin de prouver à tout le monde que nous sommes là où nous devrions nous trouver. Mais plus nos revendications sont déclinées, plus il est douloureux d'essayer.

Comprenez-vous comment la répétition de ce schéma peut finir par ôter tout courage de se relever ? Installez-vous tranquillement et repensez à toutes les fois où vous avez vécu ce type de situation. Tentez d'en décortiquer et d'en analyser le processus. Au besoin, écrivez-le et relisez-le autant de fois que nécessaire par la suite.

11. L'amabilité déçue

Voici à présent l'une des choses les plus intéressantes qu'il m'ait été donné d'apprendre à mon cabinet : il n'est pas rare que les rapports de force (afin d'obtenir ce que l'on n'a pas) se traduisent non par de la colère, mais par de l'amabilité. C'est là un point important qui mérite que l'on s'y attarde.

Que se passera-t-il, selon vous, si vous vous dites qu'en étant plus aimable vous obtiendrez toute l'aide à laquelle vous pensez avoir droit, mais que vous vous rendez compte que cela ne suffit jamais ? En optant pour cette attitude, il est très difficile de se rendre compte qu'il est impossible d'obtenir ce que l'on recherche (les autres devant d'abord garder eux-mêmes leur équilibre). *En nous considérant comme un incapable en cas d'insuccès, nous ne faisons qu'empirer la situation.*

Où cela conduit-il ? Comme vous le constatez, le schéma que je viens de décrire mène souvent à l'impuissance et à la colère, puis à la violence. A mon cabinet, je vois beaucoup de gens qui ont fait souffrir les autres sous bien des formes. Toutes ces personnes partagent la conviction qu'elles devraient savoir se montrer suffisamment aimables pour obtenir l'aide à laquelle elles aspirent.

En examinant attentivement vos propres observations, vous ne serez pas surpris de constater que cette idée soit commune aux personnes qui viennent en consultation.

En passant en revue des milliers d'heures d'écoute, j'ai été extrêmement surprise d'arriver à la conclusion suivante : il me semble que *toute la colère (oui, toute) vient de la déception et de notre confusion en nous rendant compte que notre amabilité semble ne jamais suffire* (pour obtenir l'aide et la coopération auxquelles nous aspirons depuis si longtemps et qui semblent restées hors de portée).

A votre tour de réfléchir, maintenant. Quels constats faites-vous ? Au premier abord, j'ai eu beaucoup de mal à croire que la plupart des personnes en colère que je voyais s'efforçaient réellement d'être plus agréables, plus serviables.

12. Le piège du séducteur agressif

Au départ, j'ai fait état, oralement et dans mes écrits, du piège de la colère. Par la suite, cette notion a évolué pour devenir le piège de la colère et des rapports de force. Vous comprendrez maintenant sans peine pourquoi j'appelle cela *le piège de la séduction agressive et des rapports de force.*

Quand ce que j'appelle un séducteur agressif se met en colère, voire quand il devient violent, parce qu'il n'a pas obtenu ce qu'il désirait, les choses ne font qu'empirer. Outre qu'il éprouve de la haine vis-à-vis de lui-même (« Suis-je un mons-

tre?... Cela ne me ressemble guère...»), la colère et la violence, comme toujours, agiront à la manière d'un boomerang.

Ce que l'on entend à l'intérieur du piège évoque un disque
rayé : «Si seulement je pouvais avoir ceci (ou cela)... tout irait
bien! Si seulement je pouvais avoir ceci (ou cela)... tout irait
bien!» Cette théorie, vous le constaterez, ne peut qu'engendrer
une douleur sans cesse croissante.

Supposons que nous nous exprimions plus ou moins en ces
termes : «Si seulement je pouvais te faire comprendre à quel
point c'est important pour moi...» Ce que nous présumons
ici, c'est que si seulement nous amenions l'autre à nous comprendre, nous serions assuré de son concours. Cela nécessite de
redoubler d'efforts pour faire adopter notre point de vue. Doit-
on alors parler plus fort? Plus vite? Plus souvent? Avec plus
d'éloquence? Hélas! rien n'y fait et les autres, n'appréciant
sans doute guère que l'on essaie de leur forcer la main, se
détournent.

La colère, c'est en quelque sorte un coup de poignard porté
au cœur. C'est une tentative désespérée de faire passer un message (et d'obtenir de l'aide), car c'est là, en effet, que la violence trouve son origine. Comment savoir que nous en attendons trop des autres? Voici une réponse possible : *si la vie est
un jeu de cartes, nous sommes tous des jokers* (puisque nous
pouvons intervenir n'importe où). Si on imagine une carte se
tenant debout dans la parade, on comprend sans peine que
notre équilibre est bien fragile.

13. L'écoute est nécessaire

Je ne pense pas qu'il soit possible de regarder quelqu'un et
de savoir avec certitude s'il peut nous aider ou non. Peut-on,
dans ces conditions, savoir à quel point nous pouvons nous
blesser les uns les autres en attendant l'impossible?

Se faire comprendre les uns des autres ne signifie pas obligatoirement essayer d'obtenir de l'aide. C'est également obte-

nir d'être écouté. C'est en communiquant avec les autres sans se mettre en colère que l'on se sent véritablement sûr de soi, ce qui est complètement à l'opposé de l'impuissance qui suscite colère et violence.

Voyons si vous êtes d'accord. Peut-être la meilleure méthode pour aider les autres consiste-t-elle à les écouter tandis qu'ils sont en train de trier leur bric-à-brac. Peut-être sont-ils alors disposés à nous écouter à leur tour.

Savoir écouter et donner aux autres l'occasion d'être écoutés est, à mon avis, absolument essentiel pour avoir une bonne opinion de soi-même et des autres. Face à l'agressivité de la société, je ne pense pas qu'il nous sera possible de réduire les tensions si nous ne sommes pas d'abord disposés à nous écouter vraiment les uns les autres. Pour cela, il ne faut pas être constamment sur la défensive, engagés dans des rapports de force... ou bien, au contraire, la tête dans le sable.

Comme vous pouvez vous en douter, notre priorité, dès lors, sera de nous mettre à l'écoute des autres. C'est tout le sens de ce livre. Lorsque je suis invitée à la télévision ou à la radio pour parler de la colère et de la violence, on me demande souvent comment j'envisage l'avenir. Bien entendu, je ne puis faire de prédictions, mais je réponds généralement que moins nous faisons d'efforts pour écouter les autres, plus nous aurons de problèmes.

Vous remarquerez sans doute que ce qui nous empêche d'être à l'écoute les uns des autres c'est notre propre colère, née de l'intolérance. L'inverse consiste à voir que nous ne méritons pas cette colère, puisque nous nous efforçons tous de faire de notre mieux, à tout moment, pour garder notre équilibre.

14. Le cycle infernal

Reprenons le schéma résumant le cheminement de la pensée qui sous-tend ce que j'appelle *l'habitude de la colère*. Je

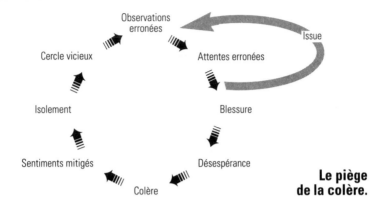

Le piège de la colère.

pense que les pages qui suivent montrent clairement comment rompre ce cercle vicieux.

❐ Observations erronées :

Voyez-vous comment ce mode de pensée peut devenir une habitude et que c'est elle qui nous enferme dans le piège de la colère ? Là aussi, tentez d'en décortiquer le processus et résumez-le par écrit afin de pouvoir vous y référer.

L'accès au piège se trouve au sommet. Si nous ne voyons pas les sables mouvants et ne comprenons pas que nous sommes en quelque sorte un joker défilant avec les autres, nous restons persuadé que le monde devrait être différent (plus en mesure de nous aider à garder notre équilibre). Mais on ne peut pas dire que nous nous engageons volontairement dans des rapports de force pour obtenir ce que nous pensons être notre dû. Au lieu de cela, nos observations erronées nous font croire que l'aide recherchée doit nous être apportée de plein gré.

Nous sommes tellement absorbé par nos désirs que *nous restons aveugle aux aspects positifs de notre vie, voire à ce que les autres font pour nous...* justement de leur plein gré.

❐ Attentes erronées :

L'étape suivante du piège, c'est celle des attentes erronées. Pourtant, nous nous donnons bien du mal ! Quand en serons-nous récompensé ? Si nous n'avons pas conscience de la présence des sables mouvants ni du fait que nous faisons de notre mieux pour garder l'équilibre à ce moment, nos attentes erronées nous semblent tout à fait justifiées. Allons, encore un peu de patience, nous finirons bien par avoir gain de cause…

Comment peut-il découler d'observations erronées autre chose que des attentes erronées ?

❐ La blessure :

En nous obstinant à attendre l'impossible (l'aide, la coopération, l'appréciation, etc., preuves des attentions que les autres sont censés nous témoigner de plein gré), nous sommes constamment blessé. Nous sommes vraisemblablement persuadé que notre seule réaction à la déception doit être de nous sentir froissé ; elle semble surgir soudainement de nulle part.

Toute la séquence apparaît terriblement limpide : d'abord les observations erronées, puis les attentes erronées, ensuite la blessure. Il m'est en effet plus facile (à vous aussi ?) de constater que l'on peut se sentir froissé à chaque fois qu'on le désire, autrement dit à chaque fois que l'on pense que les sables mouvants devraient se stabiliser.

❐ La bretelle de sortie, l'issue :

Il est possible de sortir du piège entre les attentes erronées et la blessure. A chaque fois (littéralement) que nous n'obtenons pas les résultats escomptés, nous pouvons nous poser la question suivante : « Qu'est-ce qui, dans mes attentes, fait que je persiste à espérer ceci et que j'obtiens cela ? » Une fois cette interrogation formulée de la sorte, nous sommes libéré de l'inclinaison à obtenir des autres qu'ils se comportent conformément à nos désirs. Nous sommes tout simplement sorti du piège et pouvons reprendre notre place dans le défilé. A ce stade, nous révisons nos observations erronées et prenons les mesures qui s'imposent.

Les yeux maintenant ouverts, nous constatons que, de toute évidence, les choses se présentent différemment par rapport au moment où nous nous sentions froissé.

❐ **Désespérance, impuissance :**

Si nous ne sortons pas du piège pour reprendre place dans le défilé, nous sommes voué à marcher la tête basse et les yeux mi-clos. C'est comme si nous nous trouvions sur une pente glissante, chaque blessure conduisant systématiquement à la suivante. *A l'intérieur du piège, plus nous faisons d'efforts pour améliorer notre sort, plus nous glissons rapidement vers le bas.*

Le sentiment d'impuissance est intolérable. Nous faisons tout ce qui est en notre pouvoir pour y remédier. Cela peut nous inciter à faire des choses dont nous savons pertinemment qu'elles nous seront néfastes ultérieurement. Comme vous le constatez, *c'est un désespoir total qui nous pousse vers la colère et la violence* une fois que nous nous sommes rendu compte que la gentillesse est impuissante à forcer les individus malveillants à nous aider.

❐ **Colère et violence :**

Une fois en colère, même si nous n'intervenons pas directement, nous pensons nous faire du mal à nous-même. Mais si nous décidons d'agir et de dire aux autres que nous n'aimons pas ce qu'ils font, qu'ils devraient être différents, nous nous plaçons en situation de perdant. Les autres n'admettront tout simplement pas que nous puissions savoir mieux qu'eux ce qu'ils doivent faire pour garder leur équilibre à un moment donné.

Si vous le souhaitez, vous pouvez dresser votre propre liste des conséquences de vos observations erronées, celles dont vous vous servez toujours pour justifier votre colère.

❐ **Sentiments mitigés :**

Après avoir donné libre cours à notre colère, voire cédé à la violence, notre principal problème est que nous savons, au fond de nous, que cela n'a servi à rien. Nous voulions de l'aide (coopération, appréciation), mais à condition qu'elle soit *librement consentie.* Cependant, il est impossible de l'obtenir par la colère. Dans ces conditions, rien de ce que nous obtenons ne nous satisfait puisqu'il subsiste un doute. Nous sommes incapable de savoir si c'est le fait d'un réel intérêt des autres ou de la crainte face à notre colère.

Comme vous le constatez, *l'échec de la colère et des rapports de force se traduit toujours par de la confusion et du désespoir.*

❏ **Processus d'isolement** (1ʳᵉ partie) :

L'expérience m'a montré que les personnes qui viennent me trouver sont arrivées au stade de l'isolement. Peu importe qu'elles se soient isolées elles-mêmes (par crainte de blesser les autres) ou du fait d'autrui (également par peur). Si leur colère contre elles-mêmes (culpabilité) est suffisamment forte, cela risque même de les pousser jusqu'au suicide.

Sans doute vous est-il déjà arrivé d'être induit en erreur par la vantardise de certaines personnes : « Je les ai bien eus… Ils ne recommenceront pas de sitôt ! » Mais combien de temps peut-on tenir ce genre de propos avant d'être totalement isolé à cause de son agressivité ?

❏ **Processus d'isolement** (2ᵉ partie) :

Plus longtemps une personne est isolée, plus la douleur et le risque d'une explosion de violence s'intensifient. Le piège tourne de plus en plus vite à chaque fois que nous nous disons que les autres devraient nous aider davantage, pour peu que nous fassions quelques efforts. Cependant, ils risquent de ne pas comprendre ce qui se passe, car nous avons alors tendance à souffler le chaud et le froid. Mais nous sommes pris dans un engrenage qui nous pousse à poursuivre la lutte afin de remonter au niveau du défilé. Pourtant, *à chaque échec notre terreur et notre isolement ne font qu'augmenter.*

Il peut être judicieux de dresser la liste des mots que vous utilisez pour décrire une personne ayant atteint ce stade : bizarre, imprévisible, solitaire…

❏ **Processus d'isolement** (3ᵉ partie) :

Il est certain que nous continuons alors à repousser les autres… même ceux qui veulent nous aider. Nous sommes tellement terrifié à l'idée que quelque chose de grave nous empêche de vivre normalement (il suffit de voir comment les autres nous évitent) que nous faisons constamment assaut d'amabilités. *A ce stade, la moindre critique est intolérable et suscitera à coup sûr un accès de violence.* Comprenez-vous le fonctionnement de ce mécanisme ? Voyez-vous comment tout se ligue pour renforcer l'isolement ?

❐ **Processus d'isolement** (4ᵉ partie) :

Au lieu de recourir à l'alcool, à la drogue (voire au suicide) pour éviter la terreur d'un isolement sans cesse croissant, nous optons parfois pour le refoulement et restons déprimé. Si, à tout moment, nous risquons de dire quelque chose d'inadéquat, voire d'entendre la moindre critique, nous pensons avoir intérêt à agir et à nous exprimer le moins possible.

De toute évidence, le résultat est à l'opposé de l'effet recherché... une fois de plus. Ayant refoulé nos sentiments pour éviter les risques auxquels nous nous exposons en parlant et en écoutant, nos observations se sont avérées encore plus erronées que jamais : «Les choses devraient être beaucoup plus conformes à la façon dont je les vois !»

❐ **Processus d'isolement** (5ᵉ partie) :

Vous connaissez probablement la théorie selon laquelle, lorsque nous sommes indifférent (déprimé), c'est parce que nous ne donnons pas suffisamment libre cours à notre colère. Dans notre société, *il ne nous vient généralement pas à l'esprit que le problème peut venir de notre façon de penser ;* c'est elle, en effet, qui fait que nous nous mettons en colère. Si l'on est déjà déprimé et isolé des autres, en quoi cela aide-t-il de croire qu'on devrait vraiment dire aux autres plus souvent qu'on leur en veut ?

Croyez-vous plutôt qu'il vaudrait mieux penser qu'il n'est pas nécessaire de faire des observations erronées, de justifier notre colère et de rester isolé ?

❐ **Processus d'isolement** (6ᵉ partie) :

Vous conviendrez sans doute que nous nous enfoncerons encore davantage dans notre isolement si nous croyons vraiment que le problème vient de cette colère refoulée de longue date et devons trouver à l'exprimer (en plus de la colère que nous éprouvons sur l'instant). Ce que je constate, c'est que si nous mettons un terme à cette habitude de la colère dès aujourd'hui, les vieilles rancœurs semblent disparaître en même temps. Une fois que l'on a constaté avoir réellement fait de son mieux et que l'on a un mode de vie qui rapproche des autres, il n'est plus nécessaire de rechercher des théories justifiant la douleur et l'isolement.

Il est toujours possible de ressusciter les vieilles rancœurs, mais vous conviendrez que, pour les trouver, il faudra retomber dans le piège de la colère.

❐ Cercle vicieux :

C'est le dernier stade du piège de la séduction agressive et des rapports de force avant de recommencer le cycle (sans doute plus vite que précédemment, toutes les étapes étant déjà connues). Le cercle vicieux indique le dilemme auquel on est confronté. Il n'est pas possible de faire des observations plus pertinentes et de connaître le monde tel qu'il est lorsque l'on est dans l'isolement. On n'est pas en mesure de rectifier des observations erronées si les autres ne sont pas disposés à se rapprocher et à dire la vérité. Ils sont en effet trop effrayés par notre colère et notre comportement imprévisible.

15. Comment en sortir ?

Vous rendez-vous compte que sortir du piège par nos propres moyens, depuis cette position, s'avère extrêmement difficile ?

Une fois que les gens sont sortis du piège, ils me décrivent souvent le processus ainsi : tout d'abord, lorsqu'ils se mettent en colère il peut s'écouler plusieurs jours avant de se souvenir que nous faisons tous de notre mieux et constamment… C'est alors qu'ils réexaminent leurs observations. Ensuite, à chaque fois qu'ils se mettent en colère ils s'en souviennent plus vite. L'angoisse causée par leur colère diminue pour ne durer plus que quelques secondes, puis elle disparaît complètement. «Cela fait une différence incroyable, me disent-ils, je n'arrive pas à y croire.»

Lorsqu'une personne trouve comment sortir du piège, ne serait-ce qu'une fois, elle se rend compte que désormais ce n'est plus qu'une question de choix. Elle doit simplement décider si elle veut rester à l'intérieur ou en sortir.

A mon cabinet, lorsque je fais appel à mon expérience pour voir ce qui se passe dans notre société, il apparaît que l'impuissance de celle-ci trouve ses racines au même endroit que la nôtre : en tant que société, nous nous donnons trop de mal, à ceci près que nous le faisons à plus grande échelle et de façon plus dramatique, pour forcer les autres à nous rendre la vie plus facile (à coopérer et à faire ce que nous voulons qu'ils fassent). Pourtant, il n'est pas surprenant que ces méthodes, appliquées à une échelle de plus en plus grande et avec de plus en plus de vigueur, ne provoqueront que des réactions de plus en plus vives.

A l'évidence, il faut réfléchir davantage à la façon dont nous résolvons les problèmes. Récemment, j'ai vu une voiture garée dans la rue, qui portait deux autocollants ; l'un disait : «Une société armée est une société polie», l'autre clamait : «La paix par la puissance de feu». Je me suis hâtée de m'éloigner de ce véhicule, ne me sentant guère en sécurité à proximité. *Sommes-nous réellement plus en sécurité, ou au contraire plus en danger, lorsque nous essayons de contrôler les autres par la force ?*

Sans doute trouvera-t-on une réponse à cette question dans le bric-à-brac ou dans l'ordinateur de l'un, une réponse opposée chez l'autre. Cependant, aucune des deux factions ne parvient à l'emporter lorsqu'elle cherche à convaincre l'autre d'apprécier ses observations et d'épouser ses conclusions. Dans ces conditions, comment espérer être en sécurité les uns avec les autres ?

Le vieux jeu des gendarmes et des voleurs semble connaître une escalade. A certains endroits, la population carcérale croît plus vite que l'ensemble de la population. Finirons-nous par avoir la moitié de la population derrière les barreaux ? Serons-nous davantage en sécurité ? Et à soixante-quinze pour cent, qu'en sera-t-il ? *Peut-on vraiment espérer contrôler les autres par la force un jour ?*

16. La dualité victoire-défaite

Si les individus tombent dans le piège du seul mode de vie qu'ils connaissent : la dualité victoire-défaite face aux problèmes, peut-on supposer qu'il en aille de même dans notre société ? La seule raison pour laquelle nous ne pouvons pas chercher d'alternative ne vient-elle pas simplement du fait que nous n'y croyons pas ?

Sans doute pensez-vous aussi que les indices en ce sens ne manquent pas. Très souvent, lorsque j'évoque ce jeu des gendarmes et des voleurs, j'entends dire : « Nous savons tous que la loi ne suffit pas, mais pour le moment nous n'avons pas d'autre choix. » Ce n'est là qu'un exemple parmi d'autres d'un rapport de force reconnu par la société, où les deux groupes en présence alimentent leurs peurs respectives… et ils ne semblent jamais pouvoir trouver le moyen d'arrêter.

Comment est-ce que vous, vous voyez l'avenir avec ce jeu des gendarmes et des voleurs… ou tout autre rapport de force reconnu par la société ? Je pense que nous courons le risque de le voir se terminer par un effondrement. Lorsque les gens pris au piège des rapports de force viennent me trouver, c'est parce qu'ils ont attendu la dernière extrémité et que toutes leurs ressources sont totalement épuisées. Je me demande si, pour notre société, cela n'indique pas que nous ne cherchons pas d'alternative à nos méthodes actuelles tant que nous n'y sommes pas contraints, une fois nos ressources totalement épuisées…

Avec un peu de chance, l'alternative à ces incessants rapports de force finira bien par devenir attrayante…

Rappelons un autre exemple d'effondrement imminent. Un couple est en train de se battre. C'est un peu comme si chacun était suspendu au bord d'une falaise, au-dessus d'un précipice. Alors qu'ils s'agrippent pour ne pas tomber, ils continuent à s'accuser mutuellement de ne pas se tendre la main ! A froid, cette situation paraît illogique et absurde, mais les accès de colère rendent l'esprit complètement confus. On perd sa véritable identité.

17. La recherche de sécurité

Si nous persistons à attendre l'impossible, que se passera-t-il inévitablement ? *Ne nous affaiblissons-nous pas mutuellement par nos exigences et nos plaintes ?* Ne hâtons-nous pas notre chute ? Chaque plainte, chaque rapport de force ne fait qu'ajouter aux tensions et aux problèmes de l'ensemble de la société. Je tiens compte ici même de conflits si minimes qu'ils restent invisibles au monde extérieur, mais également à ceux qui font les grands titres de la presse quotidienne. Comment pouvons-nous vivre longtemps dans un tel climat de tension ?

A chaque fois que le climat de violence devient intolérable, nous recherchons la sécurité. Les méthodes ne manquent pas, chacune ayant ses avantages et ses inconvénients, pour nous-même comme pour la société. L'une de ces méthodes, mais qui a pour conséquence de nous blesser nous-même, consiste à se concentrer sur les éléments déclencheurs de la colère et de la violence (comme s'il s'agissait des causes véritables). Nous en arrivons alors à la conclusion que si nous arrivons assez vite à maîtriser un nombre suffisant de ces déclencheurs, nous serons sécurisé.

Peut-être cette conclusion nous séduit-elle. En effet, elle nous occupe suffisamment l'esprit, sans pour autant nous écraser sous un sentiment d'impuissance. Je suis certaine que nous soulageons une grande partie de nos petites misères ainsi. Pourtant, en mettant trop l'accent sur les déclencheurs de la colère et de la violence, sans considérer le processus intérieur, ne risquons-nous pas plutôt, à long terme, d'aller à l'encontre de l'effet voulu ?

18. La maîtrise des facteurs déclenchants

En se donnant tant de peine pour « maîtriser » les éléments déclencheurs de la colère et de la violence, nous passons peut-être à côté du plus important : *nous ne nous rendons même pas compte que nos problèmes peuvent venir d'un mode de pensée qui justifie constamment la colère* (et pas seulement en raison d'incidents mineurs censés la susciter).

Vous connaissez probablement au moins une personne dans votre entourage qui est souvent en colère. Vous avez pu voir que les facteurs déclencheurs sont parfois « maîtrisés ». Cependant, après chaque démarche visant à les garder sous contrôle, que se passe-t-il ? Cette personne n'a-t-elle pas reporté sa colère sur autre chose ?

Que faire ? Qu'est-ce qui permet réellement d'améliorer les choses ? Il est évident que les tensions vont diminuer si nous cherchons à nous aider les uns les autres au lieu de nous entre-déchirer. A mes yeux, il va de soi que nous pourrons nous soutenir mutuellement une fois que nous aurons pris conscience que les autres font de leur mieux et si nous savons comment les aider.

19. Le rapprochement et non la défensive

J'ai constaté que les gens se croient souvent plus enclins à aider qu'ils ne le sont réellement. Puisque le fait de savoir comment soutenir les autres est si déterminant pour réduire la colère et la violence dans notre société, que faisons-nous vraiment dans ce sens ?

Je pense que nous nous soutenons les uns les autres par l'écoute. C'est cela qui nous donne le sentiment d'être forts, capables de communiquer avec les autres, voire appréciés et respectés. Je pense que pour cela, *il faut d'abord se rendre compte à quel point nous tenons à être écoutés nous-mêmes pour voir que les autres aspirent sans doute à la même chose.*

Le fait d'être sur la défensive, dans la peur de ce que nous allons entendre, nous empêche d'écouter et de soutenir les autres. Il est pourtant facile de surmonter ces craintes : il suffit de nous rappeler que nous essayons vraiment, et constamment, de faire de notre mieux.

Je ne puis m'empêcher de repenser à cette solitude véritable que nous ressentons tous en participant à un défilé où chaque pas ouvre sur un danger. A mes yeux, pour y trouver du plaisir, il faut se rappeler que *chaque pas constitue au contraire une occasion de donner le meilleur de nous-même.* Cela nous permettra de garder l'équilibre et de faire face à l'avenir. Quant aux autres, ils seront d'autant plus enclins à se rapprocher de nous. Comme vous le constatez, il est très important que les autres puissent se rapprocher. Nous pouvons alors comparer nos points de vue sur la meilleure méthode pour garder l'équilibre. Je pense que c'est cela qui rend notre grande solitude tolérable.

Peut-être qu'au fond, ce qui nous incite à garder l'équilibre, c'est que si nous ne le faisons pas nous allons effrayer les autres… Nous serons alors plus seul que jamais. Ayant perdu l'équilibre et certain de ne pas pouvoir le retrouver sans aide extérieure, nous voyons les autres opposer de la résistance à nos demandes. En les voyant s'éloigner, la panique qui nous saisit ne fait que s'amplifier. On comprend alors aisément pourquoi une personne dans cette situation réagit en ces termes : « Je te tuerai si tu me quittes » ou bien, à l'inverse : « Je me tuerai si tu me quittes. »

A mes yeux, la réussite et le plaisir que l'on éprouve à participer au défilé dépendent de notre capacité à *accepter les choses telles qu'elles viennent.* Attention, cela ne signifie pas nécessairement être passif, mais au contraire de rester alerte et équilibré. En effet, la passivité va à l'encontre de l'efficacité.

Admettre ce point de vue n'est pas toujours agréable. Cependant, vous conviendrez qu'il est plus sage de reconnaître ses limites à chaque instant que de rester en déséquilibre parce que nous cherchons à obtenir ce qui est hors de notre portée.

20. Le respect

Vous savez sans doute qu'il n'est, *a priori,* pas toujours
facile de s'accepter les uns les autres. Toutefois, je pense qu'il
peut être utile de prendre conscience que tout au fond de nous-
même *nous tenons à être accepté tels que nous sommes.*

Pourtant, avez-vous remarqué à quel point nous pouvons
parfois nous montrer pingre dès qu'il s'agit de témoigner aux
autres le même respect ? Certes, ce n'est pas facile d'être tolérant envers un agresseur direct. Néanmoins, je pense qu'il peut
être judicieux de se dire qu'en réalité il est pris à son propre
piège. Il est donc préférable de ne pas chercher à l'aider ou à
le changer, voire à plaider coupable pour sa «malveillance».
En accordant la priorité au maintien de notre propre équilibre,
nous sommes en mesure de ressentir l'impuissance d'une personne s'exprimant plus ou moins en ces termes : «Je ne fais
jamais rien de bien, alors pourquoi essayer ?»

Que faire ? Se fâcher ? User de la force ou d'arguments
d'une logique implacable pour la persuader de voir les choses
différemment ? Quelle est notre réaction après que quelqu'un
se soit mis en colère contre nous ? Je suis sûre qu'à ce moment-
là, vous savez que rien ne peut aller. Pourtant, nous nous expri-
merons mieux si nous sommes nous-même bien équilibré… et
si nous n'empirons pas les choses en nous prétendant «malveillant» nous aussi.

21. Les conflits inutiles

Comme on le voit, tout ce que l'on peut dire au moment où
la colère explose ne peut qu'engendrer davantage de confusion
pour la personne prise à son propre piège, et qui essaie frénétiquement de gérer ses angoisses.

J'en suis arrivée à la conclusion qu'après une explosion de
colère, la personne qui s'est fâchée se sent certainement encore
bien plus mal que sa victime. Ce que je constate, c'est que nous
vivons dans une société qui compte des millions de personnes

dans ce cas, prises involontairement dans de tels conflits, se sentant obligées de lutter contre d'autres individus également pris involontairement dans des rapports de force où prime l'agressivité.

Il n'est donc pas surprenant que tant d'entre nous se mettent la tête dans le sable en espérant que l'incendie inévitable de la colère se détournera.

Conclusion

Nous voici maintenant à la fin de ce livre : vous aussi êtes sans doute arrivé à la conclusion que nous ne sommes pas totalement impuissants face à ce fléau. Je suis persuadée que le mieux que nous puissions faire pour autrui, revient à *apprendre à éteindre nos propres feux de brousse,* même s'ils sont insignifiants. Ainsi, nous serons de plus en plus nombreux à être plus tolérants, à l'écoute des autres, et les tensions autour de nous iront en diminuant...

Alors ? Etes-vous surpris de voir où toutes ces étapes vous ont conduit ? De constater que votre propre colère a diminué au fil de la lecture ? Vous vous doutez que les autres seront heureux de partager ce que vous avez appris ici... Peut-être constateront-ils eux aussi que leur colère a diminué et qu'ils effraient moins les autres. Alors, pourquoi ne pas donner ce livre à quelqu'un d'autre ou à une bibliothèque ? Pourquoi n'auriez-vous pas, vous aussi, d'autres idées, voire des meilleures ? Essayez de refaire le cheminement décrit ici et de faire partager vos propres analyses et vos propres solutions.

Si un assez grand nombre d'entre nous parvenait à maîtriser l'angoisse causée par ses propres peurs et arrêtait de les projeter sur autrui – ou sur la société – cela pourrait exercer une influence bénéfique sur l'agressivité de l'ensemble de la collectivité. Ce qui s'applique à nous peut s'appliquer à notre pays tout entier. Qu'en pensez-vous ?

Et vous, que ferez-vous pour y apporter votre part ?

Table des matières

Préface, par Carol A. Fleming 7

PREMIERE PARTIE
**Déjouer le piège de la colère
pour sortir de son isolement**

1. Au cabinet de consultation 11
2. Quelques mots sur ma réponse 12
3. Garder la tête haute 13
4. Assécher les sables mouvants 14
5. A l'aide! 15
6. Lutter ou abandonner 17
7. Il n'y a pas de victoire décisive 17
8. Un point de départ pour la résolution des problèmes . 19
9. La solitude favorise l'équilibre 21
10. Deviner les motivations des autres 22
11. Bric-à-brac mental 23
12. Ne pas aider les autres directement 24
13. Pour préserver sa sécurité 25
14. Je fais toujours de mon mieux 27
15. J'ai le choix de me sentir bien avec moi 28
16. Une mauvaise direction 29
17. Au-dessus du défilé 30
18. «J'ai tout essayé!» 31
19. La gentillesse ne marche pas 32
20. Colère et douceur 33
21. Le problème, ce n'est pas le cheveu dans la soupe .. 35
22. Observer ou juger 37

23. Les jokers ne sont pas infaillibles 38
24. Prendre les choses du mauvais côté 39
25. Acceptation et considération 42
26. Pas fou ? 44
27. Nous ne pouvons pas écouter si... 45
28. A l'écoute des sentiments 46
29. Se faire comprendre les uns des autres 48
30. Le piège de la colère 50
31. Fin de la première séance de conseil 59

DEUXIEME PARTIE
Des solutions efficaces :
de la frustration coupable à la compréhension de soi

1. Séance de suivi, commentaires et questions 63
2. S'accepter soi-même 64
3. La colère des autres 66
4. L'expérience d'un couple 68
5. Test 69
6. Une expérience 71
7. Un rapport de force courant dans les couples 74
8. Les implications pour la société 78
9. Rester à l'écoute de l'autre 81

TROISIEME PARTIE
Un cheminement
contre la colère et la violence

1. Vaincre le sentiment d'impuissance 86
2. Cessez les rapports de force 88
3. Favorisez un climat de détente 89
4. Aider 90
5. La mouvance des relations humaines 91
6. Les luttes de pouvoir 92
7. Cessons de croire que les autres nous ressemblent .. 93
8. Vous n'êtes pas un incapable ! 95
9. Nous faisons toujours de notre mieux 97
10. La coopération 99

11. L'amabilité déçue 100
12. Le piège du séducteur agressif 101
13. L'écoute est nécessaire 102
14. Le cycle infernal 103
15. Comment en sortir ? 109
16. La dualité victoire-défaite 111
17. La recherche de sécurité 112
18. La maîtrise des facteurs déclenchants 113
19. Le rapprochement et non la défensive 113
20. Le respect 115
21. Les conflits inutiles 115

Conclusion 117
Table des matières 119

L'impression de cet ouvrage
a été réalisée par CLERC S.A.
18200 SAINT-AMAND-MONTROND
Tél. : 02-48-61-71-71

pour le compte des EDITIONS DANGLES
18, rue Lavoisier - 45800 ST-JEAN-DE-BRAYE

Dépôt légal Editeur n° 2169 - Imprimeur n° 6484
Achevé d'imprimer en août 1997

Collection *"Psycho-soma"* :

Douglas H. RUBEN :

LE SENTIMENT DE CULPABILITÉ.
Dix étapes pour s'en libérer.

Format 15 x 21 ; 240 pages.

Mea culpa! Excusez-moi!... Pour un oui ou pour un non – et surtout sans savoir pourquoi ni comment – nos faits et gestes apparemment les plus naturels et les plus anodins sont infiltrés de sentiments de honte, d'autodénigrement et sous-tendus par la certitude – diffuse mais tenace – de gêner. Bref, la culpabilité nous ronge l'existence jusque dans les moments les plus inattendus de notre quotidien. Tout notre parterre de valeurs judéo-chrétiennes est tapissé du sentiment pernicieux d'avoir mal fait (et mal été), de n'avoir pas eu droit de faire (ni d'être), de devoir s'excuser de faire (et d'exister) tout en promettant implicitement de chercher la voie de la rédemption (sinon de l'autopunition), de l'amélioration et du changement... Le mieux, en fait, serait de renoncer définitivement à soi-même!

Bien sûr, en y réfléchissant rationnellement, aucun de nous ne peut accepter un tel discours et s'y reconnaître. C'est que les mécanismes de la culpabilité sont tellement archaïques dans notre psyché qu'ils sont quasiment réflexifs. Le premier pas vers la libération consiste alors à repérer sa culpabilité, à délimiter les formes qu'elle prend pour la débusquer finalement là où on l'attendait le moins. Sur ce point, la méthode pragmatique de Douglas H. Ruben, docteur en psychologie, s'avère originale et efficace car issue d'une fine observation du syndrome de culpabilité au quotidien et de son action lors de traitements cliniques et/ou de suivis thérapeutiques, notamment auprès de stars américaines. En 10 étapes finement observées et simplement décrites, Ruben nous donne ici l'opportunité de **nous retrouver pleinement nous-même en osant déranger,** dire non et ne plus «se sentir obligé» en aucune circonstance. Souvenez-vous : on vous a bien appris à dire merci? Eh bien, à la lecture de cet ouvrage, vous pourrez effectivement dire merci, mais *merci à vous-même* pour avoir osé faire le pas de la libération... Et tant pis pour les autres!

EXTRAIT DE LA TABLE DES MATIÈRES :

Etape n° 1 : **Qu'est-ce que la culpabilité?** – Pourquoi vous sentez-vous toujours coupable? – La culpabilité se manifeste par...

Etape n° 2 : **Repérez votre culpabilité** – Pourquoi ce sentiment de honte? – Comment les autres arrivent-ils à vous culpabiliser? – Pourquoi croyez-vous être coupable? – Profil d'un présumé coupable – Test...

Etape n° 3 : **Arrêtez de tout prendre pour vous** – Les scénarios mentaux négatifs – Cessez d'interpréter les actes des autres – Recherchez les barrages – Renversement de la culpabilité...

Etape n° 4 : **Plus d'évitement ni de fuite** – Divers types d'évitement et de fuite – En finir avec l'évitement et la fuite – Affirmation D.E.S.C. – Les barrages...

Etape n° 5 : **N'ayez plus peur de vous sentir rejeté** – La réaction de rejet – Risquez la désapprobation – Laisser-aller, détachement – Rejet ne signifie pas abandon – Relaxation élémentaire en cas de rejet...

Etape n° 6 : **En finir avec la peur de l'échec** – Le syndrome de l'imposteur – Le perfectionnisme ne marche pas – Accepter sa vulnérabilité dans les situations risquées – Acceptez et sollicitez les compliments – Renversez la situation d'imposture...

Etape n° 7 : **En finir avec la honte pernicieuse** – Quand peut-on avoir tort? – Quand est-il admis d'être malveillant, d'être en opposition, d'être indépendant? – L'importance de ces étapes...

Etape n° 8 : **Inutile de tout vouloir contrôler** – Le besoin de contrôler – Contrôler trop ou pas assez – Partage du contrôle – Limitez vos responsabilités – Laissez les autres trouver par eux-mêmes – Soyez bavard – Sachez écouter – Laissez la place de meneur...

Etape n° 9 : **Ne vous laissez plus blesser par les autres** – Se sentir désolé résulte d'un sentiment de peur – Absorber les sentiments...

Etape n° 10 : **Ne répétez plus vos échecs affectifs** – Ne vous contentez plus de relations «confortables» – Principe du sentiment de confort – Le piège de la séparation – Les pièges du rebondissement – Séparation et divorce – Critères pour sélectionner de nouvelles relations – Principe de l'inconfort...

Patrick Estrade

Bonjour l'ambiance !...
Comment améliorer les relations
humaines en milieu professionnel

Éditions Dangles
Collection "Psycho-soma"

Collection "Psycho-soma" :

Patrick ESTRADE (psychologue, psychothérapeute) :

BONJOUR L'AMBIANCE !...
Comment améliorer les relations humaines en milieu professionnel.

Format 15 x 21 ; 288 pages ; illustré.

Personne ne peut aujourd'hui prétendre s'être réalisé dans son métier s'il n'a pas intégré, dans sa démarche professionnelle, **sa relation à autrui.** Quand on ne comprend pas la personnalité des autres, on fait leur jeu (souvent au détriment du nôtre) ; le slogan devient alors : *« Communiquer ou subir ! »*. L'expression est belle et s'applique tout particulièrement au monde du travail. Notre épanouissement professionnel passe moins par notre compétence que par ce que l'auteur appelle notre « compétence de personnalité ». Mais encore faut-il avoir l'art et la manière de recevoir sans « encaisser », de donner sans « assommer ».

Nous nous plaignons volontiers de nos collègues, de notre patron qui ne nous comprend pas, de ce qu'il n'existe plus de vrais professionnels, des conditions de travail qui se sont dégradées... mais notre estomac se noue à l'idée qu'il nous faudrait **agir pour changer les choses.** Avons-nous réellement le choix ? *« Un problème est une situation que l'on résout à coup de décisions ! »*, mais encore faut-il disposer des outils adaptés, qui sont ici décrits.

Au-delà du recensement et de l'analyse des principales difficultés du milieu professionnel (difficulté de la demande, problèmes de rivalité, d'intégration, de sexisme...) ou relationnelles (personnalités hyperactive, perfectionniste, exubérante, dénigrante, autoritariste, de mauvaise foi, démunie, revendicative...) rencontrées dans le milieu du travail, c'est à une véritable **redéfinition de notre manière personnelle d'envisager notre relation à autrui** à laquelle nous conduit Patrick Estrade, psychologue rompu aux problèmes humains. Il nous dévoile ici nos paradoxes les plus inattendus et, surtout, **nous donne les moyens concrets du changement.**

EXTRAIT DE LA TABLE DES MATIÈRES :

Choisir son camp ! – Sources de réussite ou d'échec – Notre place dans le contexte professionnel – Quel type de collègue voulons-nous être pour les autres ?...
La relation humaine – Un sentiment nommé « social » – L'intelligence relationnelle – L'intelligence du cœur – L'intuition de la relation – L'exemple enseigne...
Quelques personnalités marquantes en milieu professionnel – L'hyperactif – Le perfectionniste – L'exubérant – Le dénigrant – L'autoritaire – La mauvaise foi – Le démuni – L'imperfectionniste – Le revendicatif – Autres personnalités...
La demande dans la vie professionnelle – L'effet du mot et la force du dire – A quoi tient La difficulté de la demande – Les façons dont la demande est reçue et renvoyée – Le rituel de la demande...
Les problèmes de rivalité au travail – Concurrence entre collègues – Égalité et répartition des tâches – Problèmes d'intégration – Rivalités entre hommes et femmes – La « sexualité » dans le milieu professionnel – Psychologie de la non-rivalité...
Les prémices d'autre chose – Peut-on changer ? – L'imperceptibilité du changement – L'exemple enseigne – Peut-on changer les autres ?...
L'homme et la femme d'« impression » – Modèles de référence – La personnalité agissante – La personne d'autorité – La crédibilité – La personnalité avertie – Synthèse...

Carlos DEVIS & **Maria Mercedes de BELTRAN** :

TRANSFORMEZ VOS PROBLÈMES EN OPPORTUNITÉS.
Comment rendre possible l'impossible.

Format 15 x 21 ; 256 pages ; illustré.

Un problème (revers, contretemps, difficulté, dilemme, obstacle, conflit, contrariété, échec...) est un signal d'alarme qui nous indique que c'est très souvent la façon dont nous nous y sommes pris jusqu'à présent qui n'a pas bien fonctionné. Il nous contraint à sortir de notre « zone de confort », à nous interroger, à réfléchir et nous pousse vers d'autres options que l'on aurait auparavant qualifiées de *folles* ou d'*impossibles*... et c'est bien. C'est **une incitation à nous dépasser,** car il nous confronte à une situation qui exige toute notre créativité, notre imagination, notre engagement à la recherche d'autres issues. Encore faut-il savoir **aborder chaque problème de façon positive,** ne pas le considérer comme un obstacle infranchissable et se laisser abattre, mais comme un défi à relever, une occasion de montrer ce qu'on sait faire, une expérience dont on sortira renforcé.
Ce **guide pratique et stimulant,** jalonné d'exercices pratiques, vous poussera à l'action. Il vous amènera à vous interroger et à découvrir votre potentiel, à intensifier votre réceptivité à de nouvelles informations et possibilités et, ce faisant, à repousser vos limites. Il vous montrera comment ne plus vous considérer comme une victime, pourquoi vous devez cesser de rechercher des coupables, des excuses ou des justifications au lieu d'accepter votre responsabilité et de chercher la solution, comment cesser de vous plaindre pour commencer à agir.
Il n'y a pas d'individu sans force, il n'y que ceux qui ne s'en servent pas car ils entretiennent en eux des croyances limitatives et paralysantes. Libérez vos énergies, jouez gagnant, transformez l'ordinaire en extraordinaire, mettez de la passion dans vos actes, donnez le meilleur de vous-même... et vous trouverez dans les problèmes qui vous affectent quotidiennement de **formidables opportunités de dépassement de soi.**

EXTRAIT DE LA TABLE DES MATIÈRES :

■ Première partie : **Les principes pour s'en sortir.**
Comment un problème peut-il être une opportunité ? – Un problème vous oblige à trouver d'autres options – Un problème est un signal d'alarme – Combien de choix face aux problèmes ? – Vos croyances sont justes à vos yeux – Vouloir + croire = pouvoir – Croire aux limites donne des gens limités – Vous avez droit à l'erreur – Au lieu de vous plaindre, agissez – Ne vous cherchez plus de fausses excuses – Ne restez pas en position de victime – Servez-vous de vos forces – Versions victime et responsable – La perception de votre monde – Chacun vit sur sa planète – Apprenez à parler le langage sensoriel des autres...

■ Deuxième partie : **Les problèmes qui sont des opportunités.**
Sachez ce que vous voulez – Autorisez-vous à rêver – Restez en état d'alerte permanente – Formulez vos buts en termes positifs – Pourquoi vous ne réussissez pas – N'ayez plus peur de l'échec – Fuyez les commentaires négatifs – La surinformation – Mettez de la passion dans vos actes – Convertissez l'ordinaire en extraordinaire – Tout peut devenir intéressant – Donner le minimum ne suffit pas – Les six domaines de vie à équilibrer – Auto-évaluation de votre degré d'équilibre – Gagnant ou perdant ? – Le poison de la rancune – Les attentes insatisfaites – Acceptez l'autre dans sa différence – Le pardon est le plus beau des cadeaux – Sachez entretenir vos relations – Une relation s'entretient comme une plante – Conseils pour enrichir vos relations.

■ Conclusion : **Un problème est une opportunité qui vous incite à vous dépasser.**

Collection *"Psycho-soma"* :

Patrick ESTRADE :

PARENTS/ENFANTS : POURQUOI ÇA BLOQUE ?

Format 15 x 21 ; 320 pages ; illustré.

«... Ce qu'il me faudrait, ce serait un livre spécialement pensé pour les parents, un livre non pas pour mieux connaître mon enfant – ça c'est mon affaire – mais un guide personnel qui nous prenne en main, nous les parents. L'idéal serait un livre écrit dans un langage clair, sans formules du style : "Il est interdit d'interdire" ni simplifications caricaturales, un livre avec des conseils pratiques qui puissent rendre notre vie quotidienne plus facile, qui nous rassure aussi, qui nous montre comment faire pour se rattraper lorsqu'on n'a pas fait ce qu'il fallait au moment où il le fallait... » Il n'en faudra pas plus pour que Patrick Estrade (psychologue et psychothérapeute) relève le défi que lui lance Christine, âgée de 29 ans, mariée et maman.

Avec ce nouvel ouvrage, l'auteur nous entraîne ici dans le sillage de notre relation à l'enfant... tendre, mais ô combien tumultueux périple s'il en est ! Après avoir esquissé – non sans humour – nos «galères» des premiers mois et la période critique de l'adolescence, il débusque les principales idées fausses qui étayent nos convictions éducatives les plus formelles et nous explique, en termes simples, comment naissent et s'instaurent incompréhensions, rapports de force et dysharmonie entre l'homme, la femme et leur enfant.

Dans ces pages, vous retrouverez expliqués, commentés et éclairés tous les problèmes de conscience que vous vous posez vis-à-vis de votre enfant au fil du temps : comment mieux gérer les sempiternelles questions d'éducation, d'autorité, de discipline ; comment éviter les affrontements violents qui, parfois, paraissent inévitables, comment parler, communiquer, «relationner» avec l'enfant, comment mieux l'aimer aussi, sans fausse pudeur ni hypocrisie... bref, comment **instaurer la relation sacrée entre vous et lui** afin de mieux vivre ensemble et, surtout, de **mieux l'armer pour la vie d'adulte qui l'attend.**

EXTRAIT DE LA TABLE DES MATIÈRES :

I. **Les roses et les épines** – Quand sommes-nous sorti de l'état d'enfance ? – Comment on en vient à perdre les pédales – La relation de l'homme à l'enfant – L'instinct maternel : réalité ou idée fausse ? – La relation de la femme à l'enfant – L'abus d'autorité nourricière.

II. **Enfants et adolescents** – Le parent face au phénomène de l'adolescence – Trois préjugés concernant l'adolescent – L'adolescence : une émancipation réciproque – Enfance et adolescence : une continuité du même.

III. **Que signifie « éduquer » ?** – Pourquoi persiste-t-on à éduquer les enfants «à l'ancienne» ? – L'éducation par la gâterie – L'éducation concurrentielle.

IV. Qui est qui, qui fait quoi ? – Que signifie être enfant ? – Que signifie être parent ? – Le rôle spécifique de la mère en regard du père – Le rôle spécifique du père en regard de la mère.

V. **Se rencontrer à la maison** – Parents présents, parents absents – Bonne conscience, mauvaise conscience – L'influence et le rôle des grands-parents – Les beaux-parents abusifs – L'enfant dans sa fratrie – Donner aux enfants un équivalent d'amour – Eduquer, c'est voir loin !

VI. **Autorité et discipline** – L'autorité parentale – La sévérité parentale.

VII. **Les affrontements à la maison** – L'ordre et le désordre dans la chambre – La tenue à table et les bonnes manières – Les disputes interfraternelles – La participation aux tâches de la maison – Le travail scolaire ; la télévision – Argent de poche et sorties – Violences verbales, psychologiques et physiques – Le principal : la qualité de la présence.

VIII. **Dire ou médire ?** – Parler à la maison – Le discours parental et ses déviations – Les projections verbales – Les excès verbaux.

IX. **Ce que parler veut dire** – Prendre l'enfant au sérieux – Témoigner à l'enfant – Le respect de la parole donnée – La reconnaissance des torts parentaux – La verbalisation de la satisfaction – L'encouragement – Le recours à l'humour – Ecouter l'enfant – La diplomatie relationnelle.

Annexes : Conseils au lecteur – Tout se joue-t-il vraiment avant 6 ans ? – Les douze commandements de l'autorité parentale.

Will PARFITT :

COMMENT ABATTRE NOS MURS INTÉRIEURS.
L'élimination de nos blocages.

Traduit de l'anglais par Caroline Van Landschoot.
Format 15 x 21 – 288 pages – illustré.

Chacun a en soi des barrières – ou « murs intérieurs » – qui toutes nous entravent dans la réalisation de notre vrai et plein potentiel ; elles peuvent être issues de notre enfance, de notre éducation, d'expériences passées, de notre relation aux autres ou nous pouvons tout simplement les dresser nous-même, inconsciemment. L'auteur envisage ici le processus de transformation et d'évolution personnelles sous l'angle d'une **chute progressive de ces murs – ou blocages.** La démarche proposée est ordonnée, progressive et prend en compte l'être humain dans sa totalité. Elle nous apprend d'abord à nous situer par rapport au monde extérieur, à nous vivre à la fois séparés de ce monde et en relation avec lui. Ensuite, nous sommes conduits à l'exploration de notre être dans ses différents aspects ou couches et dans ses facultés essentielles : conscient et inconscient, mémoire, désirs, perceptions, imagination, corps, attachements, volonté et pouvoir, intuitions, leurres, énergies subtiles… afin de nous constituer un canevas solide de réflexion et d'expérience. Puis nous nous tournons à nouveau vers le monde extérieur pour intégrer nos acquis dans la double relation extérieur/intérieur et intérieur/extérieur.

Le fondement théorique est ici psychologique (psychosynthèse, gestalt, psychologie transpersonnelle surtout) et ésotérique. Will Parfitt (psychothérapeute et cabaliste) est spécialiste de l'un et l'autre domaine, et son travail s'appuie sur des connaissances sûres et étendues. Sa vision de l'homme et de l'univers est très actuelle, rejoignant également celle qui a cours chez les nouveaux scientifiques. **Les nombreux exercices** – de progression judicieuse – sont conçus avec soin et plaisants à exécuter. L'ensemble est capable de transformer radicalement notre vie par l'élimination progressive de nos blocages.

EXTRAIT DE LA TABLE DES MATIÈRES :

Pourquoi abattre nos murs ? – Révéler le spirituel qui nous habite – Notre rapport au possible…
Le champ de l'existence – Exploration du temps et de l'espace – La perception du champ existentiel…
Trouver son chemin – Les huit circuits de vie – L'Arbre de vie – La recherche d'un guide – Le "guide intérieur"…
Il était une fois… – Racines et structures du passé – Destin contre libre arbitre – L'autoprogrammation…
Le désir séparateur – Matrices d'expérience – Vous pouvez dire, faire et être… – Energies archétypales…
Choisir d'être là – La perception – La projection – Le silence intérieur – Le rêve lucide – La méditation…
Changer votre monde – Symboles – Images mentales dirigées – Écarter les énergies négatives…
Matière et matrice – Le temple vivant – La respiration – L'énergie sexuelle – Guérir de nos peurs…
Le moi non dépendant – Les attachements – Le cycle de la vie – L'auto-identification…
La liberté de choisir – Les six étapes du choix – Liberté d'accepter ou de refuser – Remercier l'obstacle…
Surmonter les résistances – La fabulation – La réalité – Le sens de la relativité – Les murs de peurs…
Toucher terre – L'enracinement de l'énergie – Le contact – L'intuition – Le sens de la justesse…
Les corps subtils – Corps éthérique et astral – Les énergies curatives – Les chakras et leur énergie…
De personne à personne – Reconnaître et respecter l'autre – Rôles et relations – Les rapports familiaux – La réalité personnelle – Les relations sexuelles – L'expression entre personnes…
La conscience collective – Les rayons de l'âme – L'Étoile du Moi – La prise de conscience globale…
Évolution et synthèse – Exploration du futur – L'énergie d'Amour – L'énergie de Vie – L'énergie de Liberté – L'énergie de Lumière – Le rituel – Le mystique et le magicien – Le bien-être – Devenir Un…